CONTÁGIO

Jonah Berger

CONTÁGIO

Por que as coisas pegam

Tradução
Lúcia Brito

ALTA BOOKS
EDITORA
Rio de Janeiro, 2020

Contágio: Por que as coisas pegam
Copyright © 2020 da Starlin Alta Editora e Consultoria Eireli. ISBN: 978-85-508-1581-7

Diretor editorial: Pascoal Soto

Editora executiva: Maria João Costa

Revisão: Luíza Côrtes

Diagramação: Abreu's System

Design de capa: Ideias com peso

Produção Gráfica

Direção: Eduardo dos Santos

Gerência: Fábio Menezes

Produção Editorial: Texto Editores LTDA - CNPJ: 34.942.671/0001-93

CIP-BRASIL. CATALOGAÇÃO-NA-FONTE
SINDICATO NACIONAL DOS EDITORES DE LIVROS, RJ

Berger, Jonah
Contágio / Jonah Berger; tradução de Lúcia Brito. – Rio de Janeiro: Alta Books, 2020.
224 p.

ISBN 978-85-508-1581-7
Título original: *Contagious*

1. Empreendedorismo 2. Marketing 3. Negócios I. Título II. Brito, Lúcia

14-0085 CDD 658.421

Rua Viúva Cláudio, 291 — Bairro Industrial do Jacaré
CEP: 20.970-031 — Rio de Janeiro (RJ)
Tels.: (21) 3278-8069 / 3278-8419
www.altabooks.com.br — altabooks@altabooks.com.br
www.facebook.com/altabooks — www.instagram.com/altabooks

Para minha mãe, meu pai e minha avó.
Por sempre acreditarem em mim.

Sumário

Introdução: Por que as Coisas Pegam

Na época em que Howard Wein mudou-se para a Filadélfia, em março de 2004, ele já tinha muita experiência na indústria hoteleira. Havia obtido um MBA em gerenciamento de hotéis, ajudado a Starwood Hotels a lançar a marca W e administrado bilhões de dólares em receitas como diretor corporativo de alimentos e bebidas da Starwood. Mas estava cansado do "grande". Desejava um ambiente menor, mais focado em restaurante. De modo que se mudou para Filadélfia para ajudar a projetar e lançar uma nova e luxuosa churrascaria chamada Barclay Prime.

O conceito era simples. A Barclay Prime ofereceria a melhor experiência imaginável de churrascaria. O restaurante situa-se na parte mais elegante do centro da cidade; a entrada pouco iluminada tem piso de mármore. Em vez das tradicionais cadeiras de jantar, os frequentadores acomodam-se em sofás de veludo, agrupados em torno de mesinhas de mármore. Regalam-se com vasto cardápio de frutos do mar crus, incluindo ostras das costas Leste e Oeste e caviar russo. E o menu oferece iguarias como purê de batatas com azeite de trufa e linguado pescado à linha e enviado à noite via FedEx diretamente do Alasca.

Mas Wein sabia que comida boa e ambiente maravilhoso não bastariam. Afinal, a coisa que restaurantes fazem melhor é fechar as portas. Mais de 25% fracassam dentro de 12 meses a partir da inauguração. E 60% desaparecem nos primeiros três anos.

Os restaurantes quebram por uma série de motivos. As despesas são altas – dos pratos oferecidos ao trabalho envolvido em prepará-los e servi-los. E o cenário está abarrotado de concorrentes. Para cada novo bistrô americano que surge em uma cidade grande, existem mais dois dobrando a esquina.

Como a maioria dos pequenos negócios, os restaurantes também têm um enorme problema para se tornar conhecidos. A simples divulgação de que um novo restaurante abriu as portas – que dirá que vale a penar comer nele – é uma batalha custosa. E, ao contrário das grandes redes de hotéis em que Wein havia trabalhado, a maioria dos restaurantes não possui recursos para gastar em farta publicidade ou marketing. Dependem de que as pessoas falem deles para ter sucesso.

Wein sabia que precisava gerar um *buzz*. A Filadélfia já ostentava dúzias de churrascarias caras, e a Barclay Prime precisava sobressair-se. Wein precisava de algo que se destacasse e desse às pessoas uma sensação de singularidade da marca. Mas o quê? Como ele poderia fazer as pessoas falarem?

Que tal um sanduíche de filé com queijo de cem dólares?

O filé com queijo típico da Filadélfia está disponível por quatro ou cinco dólares em centenas de casas de sanduíche, botecos de hambúrguer e pizzarias por toda a cidade. Não é uma receita complicada. Pique filé numa grelha, jogue dentro de um pãozinho e derreta um queijo provolone ou Cheez Whiz por cima. É um fast-food regional delicioso, mas definitivamente não é alta gastronomia.

Wein achou que poderia causar um *buzz* alçando o humilde sanduíche de filé com queijo a novos píncaros culinários – e anexando uma etiqueta de preço digna de notícia. Para isso, começou com um brioche fresco feito na casa, pincelado com mostarda caseira. Acrescentou filé de Kobe em fatias finíssimas, marmorizado à perfeição. A seguir, colocou cebolas caramelizadas, tomates sem pele e queijo Taleggio triplamente cremoso. Tudo isso coberto com trufas negras sem pele colhidas à mão e cauda de lagosta na manteiga. E, só para deixar ainda mais chocante, serviu com uma dose de champagne Veuve Clicquot gelada.

A reação foi incrível.

As pessoas não apenas provaram o sanduíche, como foram correndo contar para as outras. Uma sugeriu que grupos pedissem "como entrada... Desse modo todos adquirem os direitos para contar a história absurda". Outra notou que o sanduíche era "honestamente indescritível. Não se junta todos esses ingredientes finos para fazer uma coisa qualquer medíocre. Foi como comer ouro". Dado o preço do sanduíche, era quase tão dispendioso quanto comer ouro, só que muito mais delicioso.

Wein não criou apenas outro sanduíche de filé com queijo, ele criou uma conversa sobre o preço.

Funcionou. A história do sanduíche de filé com queijo de cem dólares foi contagiante. Fale com qualquer um que tenha ido à Barclay Prime. Mesmo que não tenha pedido o sanduíche, a maioria provavelmente vai mencioná-lo. Mesmo pessoas que nunca estiveram no restaurante adoram falar a respeito. Foi tão digno de notícia que o *USA Today*, o *Wall Street Journal* e outros meios de comunicação publicaram artigos sobre o sanduíche. O canal Discovery apresentou um quadro em seu programa *Best Food Ever*. David Beckham comeu um quando esteve na cidade. David Letterman convidou o chef executivo da Barclay a ir a Nova Iorque para preparar para ele um no *Late Show*. Todo esse *buzz* pelo que no fundo continua sendo apenas um sanduíche.

O *buzz* ajudou. A Barclay Prime abriu há quase uma década. Contra todas as probabilidades, o restaurante não só sobreviveu, como prosperou. Ganhou vários prêmios de gastronomia e é listado entre as melhores churrascarias da Filadélfia ano após ano. Mas, muito mais importante, construiu uma clientela. A Barclay Prime pegou.

***

POR QUE PRODUTOS, IDEIAS E COMPORTAMENTOS PEGAM?

Existem vários exemplos de coisas que pegaram. As pulseiras amarelas Livestrong. Iogurte grego sem gordura. A estratégia de gestão Six Sigma. A proibição do fumo. Dietas com baixo teor de gordura. E depois Atkins, South Beach e a mania do baixo consumo de carboidrato. A mesma dinâmica acontece em escala menor em nível local. Uma certa academia vira o lugar bacana de se frequentar. Uma nova igreja ou sinagoga entra na moda. Todo mundo defende um novo referendo escolar.

Todos esses são exemplos de epidemias sociais. Casos em que produtos, ideias e comportamentos difundem-se entre uma população. Começam com um pequeno grupo de indivíduos ou organizações e se espalham, com frequência de uma pessoa para outra, quase como um vírus. Ou, no caso do sanduíche de cem dólares, um extravagante vírus arrasador de carteiras.

Embora seja fácil achar exemplos de contágio social, é muito mais difícil fazer com que uma coisa realmente pegue. Mesmo com muito dinheiro injetado em marketing e publicidade, poucos produtos tornam-se populares. A maioria dos restaurantes fracassa, a maioria dos negócios afunda, e a maioria dos movimentos sociais falha em obter força.

Por que alguns produtos, ideias e comportamentos têm sucesso enquanto outros fracassam?

Um motivo para certos produtos e ideias tornarem-se populares é que simplesmente são melhores. Temos tendência a preferir websites mais fáceis de usar, remédios mais eficientes e teorias científicas verdadeiras em vez de falsas. Assim, quando aparece alguma coisa que oferece mais funcionalidade ou faz um serviço melhor, as pessoas tendem a trocar para ela. Lembra-se de como as televisões ou monitores de computador eram grandalhões? Trambolhos tão pesados que você tinha que pedir ajuda a uns dois amigos (ou se arriscar a lesionar as costas) para subir um lance de escada. Um motivo para as telas planas terem dado certo é que são melhores. Não só oferecem telas maiores, como pesam menos. Não é de espantar que tenham se tornado populares.

Outro motivo pelo qual os produtos pegam é o preço atraente. Não é de surpreender que as pessoas prefiram pagar menos que mais. Assim, se dois produtos similares estão competindo, o mais barato com frequência sai vencedor. Ou, se uma companhia corta os preços pela metade, isso tende a ajudar nas vendas.

A publicidade também desempenha um papel. Os consumidores precisam ficar sabendo de uma coisa antes de poder comprá-la. Com isso, as pessoas tendem a pensar que, quanto mais gastarem com publicidade, mais provável é que algo se torne popular. Quer fazer com que as pessoas comam mais vegetais? Um gasto maior em anúncios de jornal deveria aumentar o número de pessoas que ouvem sua mensagem e compram brócolis.

Embora qualidade, preço e propaganda contribuam para o sucesso de produtos e ideias, não explicam a história toda.

Veja os nomes Olivia e Rosalie. Ambos são ótimos nomes para meninas. Olivia significa "oliveira" em latim e está associado a fecundidade, beleza e paz. Rosalie possui origens no latim e no francês, e se deriva da palavra "rosa". Ambos têm quase o mesmo tamanho, terminam em vogais e possuem apelidos fáceis e engraçadinhos. De fato, milhares de bebês são chamados de Olivia ou Rosalie a cada ano.

Mas pense um pouco em quantas pessoas você conhece com cada nome. Quantas Olivias você conheceu e quantas chamadas Rosalie.

Aposto que você conhece pelo menos uma Olivia, mas provavelmente não conhece uma Rosalie. De fato, se conhece uma Rosalie, aposto que você conhece *várias* Olivias.

Como é que eu sei disso? Olivia é um nome muito mais popular. Em 2010, por exemplo, nasceram quase 17 mil Olivias nos Estados Unidos, mas apenas 492 Rosalies. De fato, embora Rosalie tenha sido um nome um tanto popular na década de 1920, nunca atingiu a popularidade estratosférica que Olivia alcançou recentemente.

Ao tentar esclarecer por que Olivia tornou-se um nome mais popular que Rosalie, explicações familiares como qualidade, preço e propaganda não funcionam. Não se trata de um nome ser "melhor" que o outro, e ambos são grátis, de modo que não existe diferença de preço. Também não existe uma campanha publicitária para tentar fazer com que todo mundo chame suas filhas de Olivia, não há uma companhia decidida a tornar esse nome a coisa mais badalada desde o Pokémon.

Pode-se dizer o mesmo dos vídeos no YouTube. Não há diferença de preço (todos podem ser assistidos de graça), e poucos vídeos recebem alguma publicidade ou empurrão de marketing. E, embora alguns vídeos tenham altos custos de produção, a maioria dos que se tornam virais são borrados e fora de foco, gravados por um amador com uma câmera barata ou telefone celular.*

Assim, se qualidade, preço e publicidade não explicam por que um nome torna-se mais popular que outro ou por que vídeos do YouTube conseguem mais visualizações, o que explica?

---

* Quando uso a palavra "viral" neste livro, refiro-me a algo que tenha maior probabilidade de se propagar de uma pessoa para outra. A analogia com doenças é boa, mas só até certo ponto. As doenças também se propagam de uma pessoa para outra, mas uma diferença-chave é o comprimento esperado da cadeia de transmissão. Uma pessoa pode facilmente ser a primeira a propagar uma doença que se espalhe para poucas pessoas, e a seguir para mais umas poucas pessoas, e assim por diante, até um grande número de pessoas ter sido infectado unicamente devido ao indivíduo inicial. Entretanto, essas cadeias longas podem ser menos comuns com produtos e ideias (Goel, Watts e Goldstein, 2012). As pessoas com frequência compartilham produtos e ideias com outras, mas a probabilidade de uma pessoa gerar uma cadeia extremamente longa pode ser pequena. Assim, quando digo que fazer X tornará uma ideia mais viral, por exemplo, quero dizer que será mais provável que se propague de uma pessoa para outra, independentemente de que isso vá por fim gerar uma cadeia longa ou "infectar" uma população inteira.

TRANSMISSÃO SOCIAL

Influência social e boca a boca. As pessoas adoram compartilhar histórias, notícias e informações com aqueles ao seu redor. Falamos para nossos amigos sobre lugares maravilhosos para férias, batemos papo com os vizinhos sobre bons negócios e fofocamos com colegas de trabalho sobre demissões potenciais. Escrevemos resenhas on-line sobre filmes, compartilhamos boatos no Facebook e twitamos receitas que acabamos de experimentar. As pessoas compartilham mais de 16 mil palavras por dia, e a cada hora acontecem mais de cem milhões de conversas sobre marcas.

Porém, o boca a boca não é apenas frequente, também é importante. As coisas que os outros nos falam, mandam por e-mail ou mensagem têm impacto significativo sobre o que pensamos, lemos, compramos e fazemos. Visitamos os websites que nossos vizinhos recomendam, lemos livros que nossos parentes elogiam e votamos em candidatos que nossos amigos apoiam. O boca a boca é o fator primário por trás de 20% a 50% de todas as decisões de compra.

Por consequência, a influência social tem um enorme impacto sobre produtos, ideias e comportamentos que pegam. A divulgação boca a boca de um novo cliente leva a um aumento de quase duzentos dólares nas vendas de um restaurante. Uma resenha de cinco estrelas na Amazon leva à venda de aproximadamente vinte livros a mais que uma resenha de uma estrela. Os médicos ficam mais propensos a prescrever um remédio novo se outros médicos que eles conhecem já prescreveram. As pessoas ficam mais propensas a parar de fumar se seus amigos param, e engordam se seus amigos ficam obesos. De fato, embora a publicidade tradicional ainda seja útil, o boca a boca cotidiano dos Joãos e Marias é no mínimo 10 vezes mais eficiente.

O boca a boca é mais eficiente que a publicidade tradicional por dois motivos-chave. Primeiro, é mais persuasivo. Os anúncios em geral nos dizem o quanto um produto é maravilhoso. Você já ouviu de tudo – que nove entre dez dentistas recomendam Crest e que nenhum outro detergente vai deixar suas roupas tão limpas quanto o Tide.

Mas, como os anúncios sempre afirmam que seus produtos são os melhores, eles não são realmente dignos de confiança. Já se viu algum anúncio da Crest dizer que apenas um entre dez dentistas preferem a marca? Ou que quatro entre os outros nove acham que a Crest vai arruinar sua gengiva?

Nossos amigos, porém, tendem a nos dar a real. Se acham que a Crest funcionou bem, dirão isso. Mas também nos dirão se a Crest tem gosto ruim ou falhou em clarear os dentes deles. A objetividade de nossos amigos, combinada à sua sinceridade, nos deixa muito mais inclinados a ouvi-los, confiar e acreditar neles.

Além disso, o boca a boca é mais direcionado. As companhias tentam anunciar de maneiras que lhes permitam atingir o maior número de clientes interessados. Pegue uma companhia que vende esquis. Anúncios de TV durante o noticiário da noite provavelmente não seriam muito eficientes, porque muitos espectadores não esquiam. Desse modo, a companhia poderia anunciar em uma revista de esqui ou no verso dos ingressos do teleférico de uma montanha de esqui popular. Embora isso fosse garantir que a maioria das pessoas que visse o anúncio gosta de esquiar, a empresa ainda acabaria jogando dinheiro fora, porque muitas dessas pessoas não precisam de esquis novos.

O boca a boca, por outro lado, é naturalmente dirigido para um público interessado. Não compartilhamos uma notícia ou uma recomendação com todo mundo que conhecemos. Em vez disso, temos a tendência de selecionar pessoas específicas que achamos que podem considerar aquela informação mais relevante. Não vamos falar sobre um novo par de esquis para um amigo se sabemos que ele detesta esquiar. E não vamos falar para um amigo que não tem filhos sobre a melhor maneira de trocar fraldas. O boca a boca tende a chegar àqueles que de fato estão interessados na coisa em discussão. Não é de espantar que clientes indicados por amigos gastem mais, comprem mais rápido e sejam mais lucrativos no geral.

Um exemplo particularmente bacana de como o boca a boca melhora o alvo chegou a mim pelo correio há uns anos. Com muita frequência as editoras me mandam livros de graça. Em geral são sobre marketing, e a editora espera que, ao me mandar um exemplar de graça, eu fique mais inclinado a recomendar o livro para meus alunos (e nesse processo ela venda um monte de exemplares).

Há uns anos, contudo, uma editora fez algo ligeiramente diferente. Mandou dois exemplares do mesmo livro.

Pois bem, a menos que eu esteja enganado, não há motivo para eu ler o segundo exemplar uma vez que tenha lido o primeiro. Mas a editora tinha em mente um objetivo diferente. Mandou um bilhete explicando por que pensava que o livro seria bom para meus alunos e também mencionou ter enviado o segundo exemplar para eu poder encaminhar a algum colega que pudesse se interessar.

É assim que o boca a boca ajuda a atingir o alvo. Em vez de mandar livros para qualquer um, a editora escolheu a mim e outros para atingirem o alvo por ela. Assim como um holofote, cada um que recebesse o livro em dobro vasculharia sua rede social pessoal, encontraria a pessoa para quem a obra seria mais relevante e a encaminharia.

GERANDO BOCA A BOCA

Mas quer saber qual é a melhor coisa do boca a boca? É que está à disposição de todo mundo. De companhias do ranking Fortune 500 tentando aumentar as vendas a restaurantes de esquina tentando ocupar as mesas. E de entidades sem fins lucrativos tentando combater a obesidade a políticos novatos tentando ser eleitos. O boca a boca ajuda a fazer com que as coisas peguem, possibilita até mesmo companhias B2B a pegar clientes das que já existem. E isso não requer o gasto de milhões de dólares em anúncios. Requer apenas que as pessoas falem.

O desafio, porém, é como fazer isso.

De iniciantes a estrelas, as pessoas adotaram a mídia social como a onda do futuro. Facebook, Twitter, YouTube e outros canais são vistos como formas de cultivar seguidores e atrair consumidores.

Marcas postam anúncios, músicos em início de carreira postam vídeos e pequenas empresas postam ofertas. Companhias e organizações atiraram-se com tudo, afobadas para pular no vagão do *buzz* marketing. A lógica é direta e reta. Se conseguirem fazer com que as pessoas falem de sua ideia ou compartilhem seu conteúdo, isso irá se espalhar pelas redes sociais como um vírus, tornando o produto ou ideia instantaneamente popular ao longo do processo.

Mas existem duas questões nessa abordagem: foco e execução.

Ajude-me com um testezinho rápido. Quantos por cento de boca a boca você acha que acontece on-line? Em outras palavras, qual o percentual de tagarelice que acontece através de mídias sociais, blogs, e-mail e salas de bate-papo?

Se você é como a maioria das pessoas, provavelmente chutou em torno de 50% ou 60%. Algumas pessoas chutam acima de 70% e outras bem abaixo, mas, após ter feito essa pergunta para centenas de alunos e executivos, verifiquei que a média é por volta de 50%.

E esse número faz sentido. Afinal de contas, a mídia social com certeza explodiu nos últimos tempos. Milhões de pessoas usam esses sites todos os dias, e bilhões de conteúdos são compartilhados todos os meses. Essas tecnologias tornaram mais fácil e mais rápido compartilhar coisas rapidamente com um amplo grupo de pessoas.

Mas 50% está errado.

Não chega nem perto.

O verdadeiro percentual é de 7%. Não 47% nem 27%, mas 7%. Pesquisa do Keller Fay Group verificou que apenas 7% do boca a boca acontece on-line.

A maior parte das pessoas fica extremamente surpresa quando ouve esse número. "Mas é baixo demais", protestam. "As pessoas passam um tempo enorme on-line!" E é verdade. As pessoas passam mesmo muito tempo on-line, em torno de 2 horas por dia, segundo algumas estimativas. Mas esquecemos que as pessoas também passam um monte de tempo off-line. Um número de horas mais que 8 vezes maior, de fato. E isso cria muito mais tempo para conversas off-line.

Também temos a tendência de superestimar o boca a boca on-line, porque é fácil de ver. Os sites de mídia social fornecem um registro de fácil acesso de todos os clipes, comentários e demais conteúdos que compartilhamos on-line. De modo que, quando olhamos, parece muita coisa. Mas não pensamos tanto a respeito de todas as conversas off-line que tivemos no mesmo período, porque não podemos vê-las com tanta facilidade. Não temos registro do papo com Susan depois do almoço ou da conversa com Tim enquanto esperávamos as crianças terminarem os exercícios. Embora possam não ser tão fáceis de ver, têm um impacto importante em nosso comportamento.

Além disso, embora se possa pensar que o boca a boca on-line atinge mais pessoas, nem sempre é o caso. Com certeza as conversas on-line *poderiam* alcançar mais pessoas. Afinal, enquanto as conversas cara a cara tendem a ser a dois ou entre grupinhos, um tweet ou uma atualização de status no Facebook em média é enviado para mais de cem pessoas. Mas nem todos os receptores potenciais verão realmente cada mensagem. As pessoas são inundadas de conteúdo on-line, de modo que não têm tempo de ler cada tweet, mensagem ou atualização que chega até elas. Um rápido exercício entre meus alunos, por exemplo, mostrou que menos de 10% de seus amigos responderam uma mensagem postada por eles. A maioria das postagens no Twitter atinge ainda menos gente. As conversas on-line *poderiam* chegar a uma audiência muito maior, mas, visto que conversas off-line podem ser mais profundas, é incerto que a mídia social seja o melhor rumo a tomar.

Portanto, a primeira questão quanto a toda badalação em torno da mídia social é que as pessoas tendem a ignorar a importância do boca a boca off-line, muito embora essas discussões sejam predominantes e potencialmente ainda mais impactantes que as on-line.

A segunda questão é que Facebook e Twitter são tecnologias, não estratégias. O marketing boca a boca só é eficiente se as pessoas realmente falam. Agentes de saúde podem twitar boletins diários sobre sexo seguro, mas, se ninguém os repassar, a campanha vai fracassar. Apenas colocar uma página no Facebook ou twitar não significa que alguém vá notar ou divulgar a informação. Cinquenta por cento dos vídeos do YouTube têm menos de quinhentas visualizações. Apenas um terço de 1% consegue mais de um milhão.

Aproveitar o poder do boca a boca, on-line ou off-line, requer entendimento sobre por que as pessoas falam e por que algumas coisas são mais ditas e compartilhadas que outras. A psicologia do compartilhamento. A ciência da transmissão social.

Da próxima vez que estiver papeando em uma festa ou pegando alguma coisinha para comer com um colega de trabalho, imagine-se como uma mosca na parede, escutando sua conversa. Você pode acabar comentando um novo filme ou fofocando sobre um colega. Pode trocar histórias sobre férias, mencionar o novo bebê de alguém ou reclamar do tempo inusitadamente quente.

Por quê? Você poderia ter falado sobre qualquer coisa. Existem milhões de diferentes tipos de tópicos, ideias, produtos e histórias que você poderia ter discutido. Por que falou sobre aquelas coisas em particular? Por que aquela história, filme ou colega de trabalho específicos em vez de algo diferente?

Certas histórias são mais contagiantes, e certos rumores são mais infecciosos. Alguns conteúdos on-line tornam-se virais, enquanto outros nunca são repassados. Alguns produtos conseguem uma boa dose de boca a boca, enquanto outros não são mencionados. Por quê? Quais as causas para que certos produtos, ideias e comportamentos sejam mais falados?

É disso que este livro trata.

Uma intuição comum é a de que gerar boca a boca tem a ver apenas com encontrar as pessoas certas. Que esses determinados indivíduos especiais são mais influentes que outros. Em *The Tipping Point*, por exemplo, Malcolm Gladwell argumenta que epidemias sociais são impulsionadas "pelos esforços de um conjunto de pessoas excepcionais", que ele chama de especialistas, conectores e vendedores. Outros sugerem que "um em cada dez americanos diz aos outros nove como votar, onde comer e o que comprar". O pessoal do marketing gasta milhões de dólares tentando achar esses chamados líderes de opinião e fazê-los endossar seus produtos. As campanhas políticas procuram os "influentes" para apoiar sua facção.

A noção é de que qualquer coisa que essas pessoas especiais tocam vira ouro. Se falarem sobre um produto ou ideia, ele vai se tornar popular.

Mas a sabedoria convencional está errada. Sim, todos nós conhecemos pessoas realmente persuasivas, e, sim, algumas têm mais amigos que outras. Mas na maioria dos casos isso não as torna mais influentes para propagar informação ou fazer com que as coisas tornem-se virais.

Além do mais, ao focarmos tanto no mensageiro, negligenciamos um propulsor muito mais óbvio do compartilhamento: a mensagem.

Para usar uma analogia, pense nas piadas. Todos nós temos amigos que são melhores que nós em contar piadas. Sempre que contam uma piada, a sala explode em risos.

Mas as piadas também variam. Algumas são tão engraçadas que não importa quem conte. Todo mundo ri, mesmo que a pessoa que esteja compartilhando a piada não seja tão engraçada. Conteúdo contagiante é assim – tão inerentemente viral que se espalha a despeito de quem esteja falando. Independentemente de as pessoas serem realmente persuasivas ou não e de terem dez amigos ou dez mil.

E quanto à mensagem que as pessoas querem passar adiante?

Não é de surpreender que "gurus" das mídias sociais e adeptos do boca a boca tenham dado montes de palpites. Uma teoria prevalente é de que a viralidade é completamente fortuita – é impossível prever se um determinado vídeo ou conteúdo será altamente compartilhado. Outras pessoas conjeturam baseadas em casos de estudo e em anedotas. Como muitos dos vídeos mais populares do YouTube são engraçados ou fofos – envolvendo bebês ou gatinhos –, você em geral ouve que humor ou fofura são ingredientes-chave da viralidade.

Mas essas "teorias" ignoram o fato de que muitos vídeos engraçados ou fofos jamais decolam. Claro, alguns clipes de gatos obtêm milhões de visualizações, mas são a exceção, não a norma. A maioria tem menos de umas poucas dezenas.

Você poderia igualmente observar que Bill Clinton, Bill Gates e Bill Cosby são famosos e concluir que trocar seu nome para Bill seja o caminho para a fama e a fortuna. Embora a observação inicial esteja correta, a conclusão é evidentemente ridícula. Apenas por olhar um punhado de hits virais, as pessoas ignoram o fato de que muitas dessas características também existem em conteúdos que fracassaram em atrair qualquer audiência que fosse. Para entender plenamente o que leva as pessoas a compartilhar coisas, você tem que olhar tanto para os sucessos quanto para os fracassos. E se certas caraterísticas estão ligadas ao sucesso com mais frequência ou não.

ALGUMAS COISAS SIMPLESMENTE NASCEM VALENDO O BOCA A BOCA?

A essa altura você pode estar dizendo para si mesmo: maravilha, algumas coisas são mais contagiantes que outras. Mas é possível tornar qualquer coisa contagiante ou algumas são simples e naturalmente mais infecciosas?

Smartphones tendem a ser mais excitantes que declarações de imposto, cachorros falantes são mais interessantes que a reforma do código penal, e filmes de Hollywood são mais bacanas que torradeiras ou liquidificadores.

Será que os criadores dos primeiros se dão melhor na vida que os dos últimos? Alguns produtos e ideias já nascem contagiantes e outros não? Ou qualquer produto ou ideia pode ser trabalhado para ficar mais infeccioso?

Tom Dickson estava procurando um novo emprego. Mórmon nascido em San Francisco, devido à sua fé havia frequentado a

Brigham Young University em Salt Lake City, onde se formou em engenharia em 1971. Voltou para casa depois da graduação, mas o mercado de trabalho estava difícil e não havia muitas oportunidades. A única vaga que conseguiu achar foi em uma empresa de anticoncepcionais e DIUs. Esses dispositivos ajudam a evitar a gravidez, mas também podem ser vistos como abortivos, o que vai contra às crenças mórmons de Tom. Um mórmon ajudando a desenvolver novos métodos anticoncepcionais? Estava na hora de achar algo novo.

Tom sempre se interessou por fazer pão. Enquanto praticava esse hobby, reparou que não havia moedores domésticos bons e baratos para fazer farinha. Desse modo, Tom pôs suas habilidades de engenheiro em ação. Depois de umas experiências com um motor de aspirador de pó de dez dólares, ele bolou um aparelho que moía farinha mais fina por um preço mais baixo que qualquer coisa então no mercado.

O moedor era tão bom que Tom começou a produzi-lo em larga escala. O negócio deu razoavelmente certo, e os experimentos com diferentes métodos de processar alimentos fizeram Tom se interessar por liquidificadores mais genéricos. Pouco depois ele se mudou de volta para Utah para dar início à sua própria companhia de liquidificadores. Em 1995 ele produziu seu primeiro liquidificador doméstico, e em 1999 a Blendtec foi fundada.

Embora o produto fosse ótimo, ninguém realmente o conhecia. A divulgação era lenta. Por isso, em 2006, Tom contratou George Wright, outro ex-aluno da BYU, como diretor de marketing. Mais tarde, George brincaria que o orçamento de marketing de sua companhia anterior era maior que toda a receita da Blendtec.

Em um dos primeiros dias no novo emprego, George reparou em uma pilha de serragem no chão da fábrica. Dado que não havia nenhuma construção em andamento, George ficou intrigado. O que estava acontecendo?

O que acontecia era que Tom estava na fábrica fazendo o que fazia todos os dias: tentando quebrar liquidificadores. Para testar a durabilidade e potência dos da Blendtec, Tom metia tábuas, entre outros objetos, nos liquidificadores e os ligava – daí a serragem.

George teve uma ideia que deixaria o liquidificador de Tom famoso.

Com uma mísera verba de cinquenta dólares (não cinquenta milhões, nem mesmo cinquenta mil), George foi comprar bolas de gude, bolas de golfe e um ancinho. Também comprou um jaleco branco para Tom, do tipo usado por cientistas de laboratório. Então colocou Tom e um liquidificador na frente da câmera. George pediu a Tom para fazer exatamente o que havia feito com as tábuas: ver se bateria.

Imagine pegar um punhado de bolas de gude e jogar dentro do seu liquidificador doméstico. Não aquelas bolinhas fajutas de plástico ou argila, mas as verdadeiras. As esferas de meia polegada de vidro maciço. Tão rijas que conseguem aguentar um carro passando por cima delas.

Foi exatamente o que Tom fez. Jogou cinquenta bolinhas de gude dentro de um liquidificador e pressionou o botão de bater devagar. As bolinhas quicaram furiosamente no liquidificador, fazendo ruídos *rá-tá-tá* semelhantes a uma tempestade de granizo na capota de um carro.

Tom esperou 15 segundos e então desligou o liquidificador. Abriu a tampa com cuidado, enquanto jorrava uma fumaça branca lá de dentro: pó de vidro. Tudo que restava das bolas de gude era um pó fino que parecia farinha. Em vez de quebrar com o castigo, o liquidificador aqueceu os músculos. As bolas de golfe foram pulverizadas, e o ancinho foi reduzido a um monte de lascas. George postou os vídeos no YouTube e cruzou os dedos.

Sua intuição estava certa. As pessoas ficaram pasmas. Adoraram os vídeos. Ficaram surpresas com a potência do liquidificador e o chamaram de tudo, desde "insanamente espantoso" a "liquidificador definitivo". Algumas nem conseguiam acreditar que aquilo que viam era possível. Outras indagavam o que mais o liquidificador poderia pulverizar. Discos rígidos de computador? Uma espada de samurai?

Na primeira semana os vídeos acumularam seis milhões de visualizações. Tom e George tinham feito um gol de placa viral.

Tom foi em frente batendo de tudo, de isqueiros Bic a controles de Nintendo Wii. Experimentou bastões fluorescentes, CDs de Justin Bieber e até um iPhone. Os liquidificadores Blendtec não só demoliram todos esses objetos, como a série de vídeos, intitulada *Will It Blend?* ("Será que vai bater?"), obteve mais de trezentos milhões de visualizações. Em dois anos a campanha aumentou as vendas do liquidificador no varejo em 700%. Tudo isso a partir de vídeos produzidos com menos de umas poucas centenas de dólares cada. E para um produto que parecia qualquer coisa, menos digno de boca a boca. Um velho liquidificador, comum e sem graça.

A história da Blendtec demonstra um dos principais aspectos do conteúdo contagiante. A viralidade não nasce, ela é produzida.

E isso de fato é uma boa notícia.

Algumas pessoas são sortudas. Suas ideias ou iniciativas calham de ser coisas que parecem gerar muita excitação e *buzz* naturalmente.

Mas, como mostra a história da Blendtec, mesmo produtos e ideias cotidianos e comuns podem gerar bastante boca a boca se alguém descobre o jeito certo de fazer. Independentemente do quão trivial ou sem graça um produto ou ideia possa ser, sempre existe jeito de torná-lo contagiante.

Assim sendo, como podemos planejar produtos, ideias e comportamentos que possibilitem que as pessoas falem deles?

ESTUDANDO A INFLUÊNCIA SOCIAL

Meu caminho rumo ao estudo das epidemias sociais foi qualquer coisa, menos direto. Meus pais não eram adeptos de doces ou televisão para os filhos e, em vez disso, davam-nos recompensas educativas. Lembro que fiquei especialmente entusiasmado em um Natal ao ganhar um livro de enigmas de lógica que explorei sem parar ao longo dos meses seguintes. Essas experiências fomentaram o interesse por matemática e ciências, e, após fazer um projeto de pesquisa na escola secundária sobre hidrologia urbana (como a composição da bacia de um curso d'água afeta sua forma), fui para a faculdade pensando que me tornaria engenheiro ambiental.

Mas aconteceu uma coisa engraçada na faculdade. Enquanto assistia a uma de minha aulas "sérias" de ciências, comecei a indagar se poderia aplicar o mesmo conjunto de ferramentas para estudar fenômenos sociais complexos. Sempre gostei de observar as pessoas e, quando acontecia de eu ver TV, gostava mais por causa dos anúncios do que dos programas. Mas percebi que, em vez de apenas devanear de forma abstrata sobre por que as pessoas faziam coisas, eu poderia aplicar o método científico para descobrir as respostas. As mesmas ferramentas de pesquisa usadas na biologia e na química poderiam ser utilizadas para entender a influência social e a comunicação interpessoal.

Assim, comecei a fazer cadeiras de psicologia e sociologia e me envolver em pesquisas sobre como as pessoas percebem a si mesmas e os outros. Uns anos depois, minha avó me mandou a resenha de um novo livro que achou que eu poderia considerar interessante. Chamava-se *The Tipping Point*.

Adorei o livro e li tudo relacionado a ele que consegui achar. Mas continuava frustrado com uma questão singular. As ideias daquele livro eram espantosamente poderosas, mas basicamente descritivas. Com certeza algumas coisas pegam, mas por quê? Qual comportamento humano subjacente impulsiona esses resultados? Eram perguntas interessantes que precisavam de respostas. Decidi começar a procurá-las.

Depois de concluir meu PhD e de mais de uma década de pesquisa, descobri algumas respostas. Passei os últimos dez anos, mais recentemente como professor de marketing da Wharton School na Universidade da Pensilvânia, estudando o assunto e questões relacionadas. Com um conjunto incrível de colaboradores, examinei coisas como:

- Por que certos artigos do *New York Times* ou vídeos do YouTube tornam-se virais
- Por que alguns produtos conseguem mais boca a boca
- Por que certas mensagens políticas se propagam
- Quando e por que nomes de bebê pegam ou caem em desuso
- Quando a publicidade negativa atua para aumentar as vendas em vez de diminuir

Analisamos os nomes de bebês que foram mais usuais durante centenas de anos, milhares de artigos do *New York Times* e milhões de compras de carros. Passamos milhares de horas coletando, codificando e analisando tudo, de marcas e vídeos do YouTube a lendas urbanas, resenhas de produtos e conversas cara a cara. Tudo com o objetivo de entender a influência social e o que impulsiona certas coisas à popularidade.

Há poucos anos, comecei a dar um curso em Wharton chamado "Contagiante". A premissa era simples. Quer atue em marketing, política, engenharia ou saúde pública, você precisa entender o que faz seus produtos e ideias pegarem. Gerentes de marca querem que seus produtos causem mais *buzz*. Políticos querem que suas ideias difundam-se entre a população. Agentes de saúde querem que as pessoas cozinhem em vez de comer fast-food. Centenas de estudantes, MBAs e executivos assistiram às aulas e aprenderam como a influência social impulsiona o sucesso de produtos, ideias e comportamentos.

Com muita frequência eu recebia e-mails de gente que não conseguia assistir às aulas. Essas pessoas tinham ouvido um amigo falar a respeito e gostado do material, mas tinham problema de horário ou não haviam ficado sabendo a tempo. Por isso perguntavam se havia um livro que pudessem ler para ficar por dentro do que haviam perdido.

Com certeza existem alguns livros ótimos por aí. *The Tipping Point* é uma leitura fantástica. Porém, embora esteja recheado de histórias divertidas, a ciência avançou bastante desde que foi lançado há mais de uma década. *Made to Stick*, de Chip e Dan Heath, é outro dos meus favoritos (revelação total: Chip foi meu mentor na pós-graduação, de modo que o fruto não cai longe do pé). Entrelaça histórias engenhosas com pesquisa acadêmica sobre psicologia cognitiva e memória humana. Todavia, embora o livro dos Heaths enfoque em fazer as ideias "grudarem" – fazer com que as pessoas se lembrem delas –, trata menos de como fazer produtos e ideias *se espalharem*, ou fazer com que as pessoas passem-nos adiante.

Assim, sempre que as pessoas pediam para ler alguma coisa sobre o que impulsiona o boca a boca, eu as direcionava para vários textos acadêmicos que eu e outros havíamos publicado sobre o assunto. Inevitavelmente, algumas pessoas mandavam outro e-mail para agradecer e também para pedir algo mais "acessível". Em outras palavras, algo que fosse rigoroso, mas menos árido que os típicos artigos abarrotados de jargões publicados em jornais acadêmicos. Um livro que lhes fornecesse princípios baseados em pesquisa para entenderem o que faz as coisas pegarem.

Este aqui é o livro.

OS SEIS PRINCÍPIOS DO CONTÁGIO

Este livro explica o que torna um conteúdo contagioso. Por "conteúdo" me refiro a histórias, notícias e informação. Produtos e ideias, mensagens e vídeos. Tudo, desde angariação de fundos pela estação de rádio pública local a mensagens sobre sexo seguro que estamos tentando passar a nossos filhos. Por "contagioso" quero dizer provável de se espalhar. De se difundir de uma pessoa para outra por boca a boca e influência social. De ser falado, compartilhado ou imitado por consumidores, colegas de trabalho e eleitores.

Em nossa pesquisa, eu e meus colaboradores notamos certos temas ou atributos comuns a uma série de conteúdos contagiantes. Uma receita, por assim dizer, para deixar produtos, ideias e comportamentos mais propensos a se tornar populares.

Veja *Will It Blend?* e o sanduíche de filé com queijo de cem dólares da Barclay Prime. Ambas as histórias evocam emoções como surpresa ou espanto: quem pensaria que um liquidificador poderia despedaçar um iPhone todinho ou que um sanduíche de filé com queijo pudesse custar qualquer coisa próxima de cem dólares? Ambas as histórias são notáveis, de modo que fazem aqueles que as contam parecer descolados. E ambas oferecem informação proveitosa: é sempre útil conhecer produtos que funcionam bem ou restaurantes que têm uma comida maravilhosa.

Assim como as receitas de doces com frequência pedem açúcar, acabamos encontrando os mesmos ingredientes em anúncios que se tornaram virais, notícias que compartilhamos ou produtos que geraram muito boca a boca.

Depois de analisar centenas de mensagens, produtos e ideias contagiantes, notamos que os mesmos seis "ingredientes", ou princípios, com frequência estavam ativos. Seis passos-chave,* como eu chamo, que fazem com que as coisas sejam faladas, compartilhadas e imitadas.

Princípio 1: Moeda Social

Que impressão as pessoas causam ao falar sobre um produto ou ideia? A maioria prefere parecer esperta em vez de burra, rica em vez de pobre, e descolada em vez de panaca. Assim como as roupas que vestimos e os carros que dirigimos, aquilo que falamos influencia o modo como os outros nos veem. É a moeda social. Saber de coisas bacanas – como um liquidificador que pode despedaçar um iPhone todinho – faz as pessoas parecerem sagazes e antenadas. Assim, para fazer com que as pessoas falem, precisamos elaborar mensagens que as ajudem a atingir essas impressões desejadas. Precisamos encontrar nossa notabilidade interior e fazer com que as pessoas se sintam por dentro do que se passa. Precisamos alavancar uma mecânica de jogo para dar às pessoas formas de alcançar símbolos de status visíveis que elas possam mostrar aos outros.

---

* Em inglês, "six STEPPS", sigla com as iniciais dos seis princípios básicos que remete a "steps" (passos). (N.T.)

Princípio 2: Gatilhos

Como lembramos as pessoas de falar sobre nossos produtos e ideias? Gatilhos são estímulos que incitam as pessoas a pensar em coisas relacionadas. Manteiga de amendoim nos faz lembrar de geleia, e a palavra "cachorro" nos recorda a palavra "gato". Se você mora na Filadélfia, ver um sanduíche de filé com queijo pode fazer lembrar daquele de cem dólares da Barclay Prime. As pessoas com frequência falam do que quer que lhes venha à cabeça; portanto, quanto mais as pessoas pensarem em um produto ou ideia, mais ele será falado. Precisamos planejar produtos e ideias que sejam frequentemente acionados pelo ambiente e criar novos gatilhos ligando-os a sugestões prevalentes naquele ambiente. O *top of mind* acaba na ponta da língua.

Princípio 3: Emoção

Quando nos importamos, compartilhamos. Assim, como podemos elaborar mensagens e ideias que façam as pessoas sentir algo? Conteúdo naturalmente contagiante em geral evoca algum tipo de emoção. Liquidificar um iPhone é surpreendente. Um potencial aumento de imposto é enraivecedor. Coisas emocionais com frequência são compartilhadas. Assim, em vez de martelar sobre a função, precisamos enfocar as sensações. Mas, conforme discutiremos, algumas emoções aumentam o compartilhamento, ao passo que outras na verdade o reduzem. Por isso, precisamos escolher as emoções certas para evocar. Precisamos atear fogo. Às vezes, até mesmo emoções negativas podem ser úteis.

Princípio 4: Público

As pessoas conseguem ver quando os outros estão usando nosso produto ou se engajando no comportamento desejado por nós? A famosa frase "o macaco vê, o macaco faz" captura mais do que a tendência humana para imitar. Também nos diz que é difícil para o macaco copiar algo que não pode ver. Tornar as coisas mais observáveis facilita que sejam imitadas, o que aumenta a probabilidade de ficarem populares. Desse modo, precisamos tornar nossos produtos e ideias mais públicos. Precisamos planejar produtos e iniciativas que se anunciem por si mesmos e criem resíduo comportamental que perdure mesmo depois de as pessoas terem comprado o produto ou adotado a ideia.

Princípio 5: Valor Prático

Como podemos elaborar conteúdo que pareça útil? As pessoas gostam de ajudar os outros; portanto, se pudermos mostrar que nossos produtos ou ideias vão poupar tempo, melhorar a saúde ou economizar dinheiro, elas vão divulgar. Mas, tendo em vista o quanto as pessoas são inundadas por informação, precisamos fazer nossa mensagem sobressair-se. Precisamos entender o que faz alguma coisa parecer uma oferta especialmente boa. Precisamos realçar o valor incrível do que oferecemos – em termos monetários e outros. E precisamos embalar nosso conhecimento e competência de modo que as pessoas possam passá-los adiante facilmente.

Princípio 6: Histórias

Em que narrativa mais ampla podemos envolver nossa ideia? As pessoas não compartilham apenas informação, elas contam histórias. Mas, assim como o conto épico do Cavalo de Troia, as histórias são recipientes que portam coisas como moral e lições. A informação viaja disfarçada do que parece conversa fiada. Assim, precisamos construir nossos cavalos de Troia, embutindo nossos produtos e ideias em histórias que as pessoas queiram contar. Mas precisamos fazer mais do que apenas contar uma bela história. Devemos tornar a viralidade valiosa. Precisamos tornar nossa mensagem tão intrínseca à narrativa a ponto de as pessoas não poderem contar a história sem ela.

Esses são os seis princípios do contágio: produtos ou ideias que contenham *Moeda Social*, dotados de *Gatilhos* e *Emoção*, sendo também *Públicos*, com *Valor Prático* e envolvidos por *Histórias*. Cada capítulo enfoca um desses princípios. Os capítulos reúnem pesquisas e exemplos para mostrar a ciência por trás de cada princípio, e como indivíduos, companhias e organizações aplicaram os princípios, para ajudar seus produtos, ideias e comportamentos a pegar.

Esses princípios podem ser compactados em um acrônimo. Reunidos, a grafia é STEPPS*. Pense nesses princípios como seis passos para elaborar conteúdo contagiante. Esses ingredientes levam as ideias a serem faladas e terem sucesso. As pessoas falaram sobre o sanduíche de filé com queijo de cem dólares da Barclay Prime, porque ele proporcionou *Moeda Social*, tinha um *Gatilho* (a alta popularidade do sanduíche de filé com queijo na Filadélfia), *Emoção* (muito surpreendente), *Valor Prático* (informação útil sobre uma churrascaria de alto nível) e veio envolvido em uma *História*. Realçar esses componentes em mensagens, produtos ou ideias aumenta a probabilidade de que se espalhem e fiquem populares. Espero que a organização dos princípios dessa forma facilite sua lembrança e uso.**

O livro foi planejado com dois públicos (sobrepostos) em mente. Você sempre pode ter se perguntado por que as pessoas fofocam, por que conteúdos on-line tornam-se virais, por que os boatos se

---

* STEPPS refere-se aos termos em inglês Social Currency (Moeda Social), Triggers (Gatilhos), Emotion (Emoção), Public (Público), Practical Value (Valor Prático) e Stories (Histórias); o acrônimo é um trocadilho com o termo "steps" ("passos"). (N.T.)

** Note, entretanto, que a analogia da receita não funciona em um aspecto. Ao contrário de uma receita, nem todos os seis ingredientes são exigidos para tornar um produto ou ideia contagiante. Claro que quanto mais melhor, mas isso não quer dizer que um produto que seja Público vá fracassar porque não está envolvido em uma História. Assim, pense nesses princípios menos como uma receita e mais como saborosos incrementos de uma salada. A salada Cobb, por exemplo, em geral vem com frango, tomate, bacon, ovo, abacate e queijo. Mas uma salada apenas com queijo e bacon também é deliciosa. Os princípios são relativamente independentes, de modo que você pode pegar e escolher quaisquer que deseje aplicar.

Alguns princípios são mais fáceis de se aplicar a certos tipos de ideia ou iniciativa. Organizações sem fins lucrativos têm uma boa noção de como evocar Emoção, e com frequência é mais fácil enfatizar a visibilidade Pública de produtos ou comportamentos que possuam um componente físico. Dito isto, o conteúdo contagiante em geral provém da aplicação de princípios que originalmente poderiam ter parecido improváveis. Liquidificadores de alta potência já possuem Valor Prático, mas *Will It Blend?* tornou-se um viral, porque encontrou um jeito de conferir Moeda Social a um liquidificador. O vídeo mostrou como um produto aparentemente comum era na verdade notável.

espalham ou por que todo mundo sempre parece falar sobre certos assuntos em volta do bebedouro. Falar e compartilhar são alguns de nossos comportamentos mais fundamentais. Essas ações nos conectam, nos moldam e nos fazem humanos. Este livro lança luz sobre os processos psicológicos e sociológicos subjacentes por trás da ciência da transmissão social.

Este livro também foi elaborado para pessoas que querem que seus produtos, ideias e comportamentos se espalhem. Indústrias e companhias, grandes e pequenas, querem que seus produtos tornem-se populares. O café do bairro quer mais frequentadores, os advogados querem mais clientes, salas de cinema querem mais público, e blogueiros querem mais visualização e compartilhamento. Entidades sem fins lucrativos, legisladores, cientistas, políticos e muitos outros segmentos também possuem "produtos" ou ideias que querem que peguem. Museus querem mais visitantes, abrigos de cães querem mais adoções e conservacionistas querem mais gente mobilizada contra o desmatamento.

Quer você seja gestor em uma grande companhia, um pequeno empresário tentando aumentar a visibilidade, um político concorrendo a um cargo ou um agente de saúde tentando fazer uma divulgação, este livro vai ajudá-lo a entender como tornar seus produtos e ideias mais contagiantes. Ele proporciona uma estrutura e um conjunto de técnicas aplicáveis específicas para ajudar a informação a se espalhar – para produzir histórias, mensagens, anúncios e informação de modo que as pessoas compartilhem. Independentemente de essas pessoas terem dez amigos ou dez mil e serem conversadoras e persuasivas ou quietas e tímidas.

Este livro oferece ciência de ponta sobre como o boca a boca e a transmissão social funcionam. E você pode alavancá-los para fazer seus produtos ou ideias terem sucesso.

1. Moeda Social

Entre os prédios de tijolos marrons e as lojas vintage de St. Mark's Place, perto da Tompkins Square, em Nova Iorque, você vai notar uma pequena lanchonete. Ela é sinalizada por uma grande placa vermelha em formato de salsicha com as palavras "eat me" ("coma-me") escritas no que parece mostarda. Desça um pequeno lance de escadas e você estará em um legítimo restaurantezinho de cachorro-quente das antigas. As mesas compridas estão equipadas com todos os seus condimentos favoritos, você pode jogar uma série de video-games de estilo arcade e, é claro, fazer seu pedido a partir de um cardápio de matar.

São oferecidas 17 variedades diferentes de cachorro-quente. Todo tipo de salsicha que se possa imaginar. O Good Morning é um cachorro-quente com salsicha envolvida em bacon e queijo derretido, completado por um ovo frito. O Tsunami tem teriyaki, abacaxi e cebolinha. E puristas podem pedir o New Yorker, um clássico de salsicha all-beef grelhada.

Mas olhe além das toalhas listradas de algodão e dos hipsters curtindo seus cachorros-quentes. Reparou naquela cabine telefônica de madeira socada no canto? Aquela que parece uma em que Clark Kent poderia ter se atirado para virar o Superman? Vá em frente, dê uma espiada.

Você vai reparar em um discador rotativo de antigamente pendurado dentro da cabine, do tipo que possui uma roda com buraquinhos para você discar cada número. Só de brincadeira, coloque o dedo no buraco do número 2 (ABC). Disque em sentido horário até o final, solte a roda e segure o fone junto ao ouvido.

Para seu espanto, alguém atende. "Você tem uma reserva?", pergunta a voz. Uma reserva?

Sim, uma reserva. Claro que você não tem uma reserva. Para que você precisaria de uma reserva? Para uma cabine telefônica no canto de uma lanchonete de cachorro-quente?

Mas parece que hoje é seu dia de sorte: podem receber você. De repente, o fundo da cabine se abre – é uma porta secreta! –, e você é conduzido para o interior de um bar clandestino chamado, quem diria, Please Don't Tell (Por favor, não conte).

Em 1999, Brian Shebairo e seu amigo de infância Chris Antista decidiram entrar no negócio de cachorro-quente. A dupla cresceu em Nova Jersey comendo em locais famosos como Rutt's Hut e Johnny & Hanges e quis levar a mesma experiência de cachorro-quente para Nova Iorque. Após dois anos de pesquisa e desenvolvimento, pilotando suas motocicletas para cima e para baixo da Costa Leste provando os melhores cachorros-quentes, Brian e Chris estavam prontos. Em 6 de outubro de 2001, abriram o Crif Dogs, no East Village. O nome veio do som que saiu da boca de Brian uma vez em que ele tentou dizer o nome de Chris enquanto mastigava um cachorro-quente.

O Crif Dogs foi um grande sucesso e ganhou o prêmio de melhor cachorro-quente de uma variedade de publicações. Mas, com o passar dos anos, Brian foi em busca de um novo desafio. Ele queria abrir um bar. O Crif Dogs sempre teve licença para vender bebida alcoólica, mas nunca havia tirado plena vantagem disso. Ele e Chris haviam experimentado uma máquina de frozen marguerita e mantinham uma garrafa de Jägermeister no freezer de vez em quando, mas para fazer a coisa direito realmente precisavam de mais espaço. O vizinho de porta era uma casa de bubble tea (chá com pobá) que lutava para sobreviver. O advogado de Brian disse que, se eles conseguissem o espaço, a licença para bebidas seria transferível. Depois de três anos de insistência consistente, o vizinho finalmente cedeu.

Mas aí veio a parte difícil. Nova Iorque é cheia de bares. Em um raio de quatro quarteirões em volta do Crif Dogs existem mais de sessenta lugares para se pegar uma bebida. Muitos ficam inclusive no mesmo quarteirão. Originalmente, Brian tinha em mente um bar de estilo rock and roll meio grunge. Mas aquilo não ia rolar. O conceito precisava ser mais notável. Algo que fizesse as pessoas falar e as atraísse.

Um dia Brian topou com um amigo que tinha um negócio de antiguidades. Um enorme mercado de pulgas ao ar livre que vendia de tudo, de cômodas art déco a olhos de vidro e guepardos empalhados. O cara disse que havia encontrado uma bela cabine telefônica da década de 1930 que achou que ficaria bem no bar de Brian.

Brian teve uma ideia.

Quando Brian era garoto, seu tio trabalhava como marceneiro. Além de ajudar a construir casas e de fazer as coisas usuais que os marceneiros fazem, o tio havia construído uma sala no porão que possuía portas secretas. As portas nem eram tão ocultas, apenas madeira que se mesclava com outra madeira, mas, se você empurrasse no lugar certo, obtinha acesso a um depósito escondido. Nada de covil ou butim secretos ali dentro, mas bacana mesmo assim.

Brian decidiu transformar a cabine telefônica na porta para um bar secreto.

Tudo no Please Don't Tell sugere que você foi admitido em um segredo muito especial. Você não vai encontrar uma placa na rua. Não vai encontrar anúncios dele em cartazes ou revistas. E a única entrada é através de uma cabine telefônica meio escondida dentro de uma lanchonete de cachorro-quente.

Claro que isso não faz sentido. Os marqueteiros não proclamam que propaganda ostensiva e acesso fácil são as pedras angulares de um negócio bem-sucedido?

O Please Don't Tell nunca fez propaganda. Todavia, desde a inauguração em 2007, tem uma das reservas de bar mais procuradas de Nova Iorque. Só faz agendamento para o mesmo dia, e a linha para as reservas abre às 15 horas em ponto. Os lugares são ocupados pela ordem de chegada. As pessoas pressionam a tecla de rediscagem sem parar na esperança de conseguir vencer o sinal de ocupado. Às 15h30 todos os lugares estão reservados.

O Please Don't Tell não força o mercado. Não tenta empurrar você porta adentro ou atraí-lo com um website vistoso. É uma clássica "marca de descoberta". Jim Meehan, o gênio por trás do cardápio de drinques do Please Don't Tell, planejou a experiência do cliente com essa meta em mente. "O marketing mais poderoso é a recomendação pessoal", diz ele. "Nada é mais viral ou infeccioso que um de seus amigos ir a um lugar e recomendá-lo plenamente." E o que poderia ser mais notável que observar duas pessoas desaparecerem nos fundos de uma cabine telefônica?

No caso de ainda não estar claro, eis aqui um segredinho sobre os segredos: eles não tendem a permanecer secretos por muito tempo.

Pense sobre a última vez que alguém compartilhou um segredo com você. Lembra-se da seriedade com que ela pediu que você não contasse para ninguém? E lembra o que você fez a seguir?

Bem, se você é como a maioria das pessoas, provavelmente foi contar para outro. (Não fique constrangido, seu segredo está a salvo comigo.) Acontece que, se uma coisa deve ser secreta, as pessoas ficam *muito* mais propensas a falar dela. O motivo? Moeda social.

As pessoas compartilham coisas que as deixam bem diante dos outros.

CUNHANDO UM NOVO TIPO DE MOEDA

Crianças adoram projetos de arte. Seja desenhando com lápis de cera, colando macarrão cotovelinho em folhas de cartolina ou criando elaboradas esculturas com material reciclável esbaldam-se na alegria de fazer coisas. Mas qualquer que seja o tipo de projeto, mídia ou local, todas as crianças parecem fazer a mesma coisa quando acabam.

Elas mostram para alguém.

O "compartilhamento pessoal" nos acompanha por toda a vida. Contamos aos amigos sobre nossas compras de roupas novas e mostramos aos membros da família o artigo que estamos mandando para o jornal local. Esse desejo de compartilhar nossos pensamentos, opiniões e experiências é um motivo pelo qual a mídia social e as redes sociais on-line tornaram-se tão populares. As pessoas blogam sobre suas preferências, postam atualizações no Facebook sobre o que comeram no almoço e twitam sobre por que odeiam o atual governo. Conforme muitos observadores comentaram, as pessoas viciadas em redes sociais hoje em dia parecem não conseguir parar de compartilhar – o que pensam, gostam e querem – com todo mundo, o tempo todo.

De fato, as pesquisas constatam que mais de 40% do que as pessoas falam é sobre suas experiências e relacionamentos pessoais. De modo semelhante, cerca de metade dos tweets são focados no "eu", cobrindo o que as pessoas estão fazendo no momento ou o que aconteceu com elas. Por que as pessoas falam tanto sobre suas próprias atitudes e experiências?

É mais do que vaidade; na verdade, somos programados para achar isso prazeroso. Os neurocientistas Jason Mitchell e Diana Tamir, de Harvard, descobriram que divulgar informações sobre o "eu" é intrinsecamente recompensador. Em um estudo, Mitchell e Tamir conectaram indivíduos a scanners cerebrais e pediram que compartilhassem suas próprias opiniões e atitudes ("eu gosto de snowboarding") ou as opiniões e atitudes de outra pessoa ("ele gosta de cãezinhos"). Eles verificaram que o compartilhamento das opiniões pessoais ativou os mesmos circuitos cerebrais que reagem a recompensas como comida e dinheiro. Assim, falar sobre o que você fez nesse final de semana pode ser tão bom quanto uma mordida em um delicioso bolo de chocolate.

De fato, as pessoas gostam tanto de compartilhar suas atitudes que são capazes até de pagar para fazê-lo. Em outro estudo, Tamir e

Mitchell pediram às pessoas para completar uma série de testes de uma atividade de escolha simples. Os participantes podiam escolher entre aguardar por uns segundos ou responder uma pergunta sobre si mesmos (tipo: "O que você acha de sanduíches?") e compartilhar com os outros. Os participantes fizeram centenas dessas escolhas rápidas. Mas, para deixar ainda mais interessante, Tamir e Mitchell variaram a quantia que as pessoas recebiam por escolher uma opção específica. Em alguns testes as pessoas recebiam uns centavos a mais por escolher esperar alguns segundos. Em outros, recebiam uns centavos a mais pela escolha de se expor.

O resultado? As pessoas dispuseram-se a abrir mão do dinheiro para compartilhar suas opiniões. No total, aceitaram ter um corte de 25% no pagamento para compartilhar seus pensamentos. Em comparação com não fazer nada por 5 segundos, as pessoas preferiram compartilhar sua opinião por pouco menos de um centavo. Isso oferece uma nova configuração a um velho ditado. Talvez, em vez de dar um centavo a uma pessoa em troca de seus pensamentos, devêssemos receber um centavo por escutá-los.

Está claro que as pessoas gostam de falar sobre si mesmas, mas o que as faz falarem mais sobre alguns de seus pensamentos e experiências do que outros?

Faça um jogo comigo por um instante. Minha colega Carla dirige uma minivan. Eu poderia falar muitas outras coisas sobre ela, mas de momento quero ver o quanto você pode deduzir baseado unicamente no fato de que ela dirige uma minivan. Quantos anos Carla tem? 22? 35? 57? Sei que você sabe muito pouco sobre ela, mas tente dar um palpite racional.

Será que ela tem filhos? Se tem, eles praticam esportes? Alguma ideia de quais esportes eles praticam?

Uma vez que você tenha feito uma anotação mental de seus palpites, vamos falar de meu amigo Todd. Ele é um cara realmente descolado. E usa um corte de cabelo moicano. Alguma ideia de como ele é? Quantos anos tem? Que tipo de música ele gosta? Onde faz compras?

Fiz esse jogo com centenas de pessoas, e os resultados são sempre os mesmos. A maioria pensa que Carla tem entre 30 e 45 anos de idade. Todas – sim, 100% – acreditam que ela tem filhos. A maioria tem certeza de que esses filhos praticam esportes, e quase todas acreditam que o esporte praticado é futebol. Tudo isso a partir de uma minivan.

Agora Todd. A maioria das pessoas acha que ele tem entre 15 e 30 anos de idade. A maior parte calcula que ele curte algum tipo de música irada, seja punk, heavy metal ou rock. E quase todo mundo pensa que ele compra roupas de brechó ou faz compras em algum tipo de loja de surf/skate. Tudo isso por causa de um corte de cabelo.

Sejamos claros. Todd não tem que ouvir música irada ou comprar na Hot Topic. Ele pode ter 55 anos de idade, ouvir Beethoven e comprar suas roupas onde quer que queira. A Gap iria barrá-lo na porta caso ele tentasse comprar um jeans.

O mesmo é válido para Carla. Ela poderia ser uma garota rebelde de 22 anos que toca bateria e acha que filhos são para os burgueses entediantes.

Mas o ponto é que não pensamos essas coisas sobre Carla e Todd. Em vez disso, todos nós fazemos deduções semelhantes, porque escolhas sinalizam identidades. Carla dirige uma minivan, por isso presumimos que ela seja mãe de uma criança que joga futebol. Todd usa um moicano, por isso achamos que ele é um jovem de estilo punk. Elaboramos palpites racionais sobre as outras pessoas baseados nos carros que dirigem, nas roupas que usam e na música que escutam.

O que as pessoas falam também afeta o que os outros pensam delas. Contar uma piada engraçada em uma festa faz as pessoas pensarem que somos espirituosos. Saber todas as informações do grande jogo da noite passada ou da dança dos famosos nos faz parecer espertos ou por dentro das novidades.

Assim, não é de surpreender que as pessoas prefiram compartilhar coisas que as façam parecer mais divertidas do que chatas, espertas do que burras e bacanas do que malas. Considere o outro lado. Pense sobre a última vez que você cogitou compartilhar alguma coisa, mas não o fez. É possível que você não tenha falado, porque teria deixado você (ou outra pessoa) mal. Falamos sobre como conseguimos uma reserva no restaurante mais badalado da cidade e omitimos a história sobre o hotel com vista para um estacionamento que pegamos. Falamos que a câmera que escolhemos era uma das mais bem cotadas no *Consumer Reports* e omitimos a história do laptop que compramos e era mais barato em outra loja.

O boca a boca, portanto, é uma ferramenta primordial para causar boa impressão – tão potente quanto um carro novo ou uma bolsa Prada. Pense nisso como uma espécie de moeda. *Moeda social*. Assim como as pessoas usam dinheiro para comprar produtos ou serviços, usam a moeda social para obter impressões positivas desejadas entre a família, os amigos e colegas.

Então, para fazer as pessoas falarem, companhias e organizações precisam cunhar moeda social. Oferecer algo para que as pessoas causem boa impressão enquanto promovem seus produtos e ideias. Existem três maneiras de fazer isso: (1) encontrar notabilidade interna, (2) alavancar uma mecânica de jogo e (3) fazer as pessoas sentirem-se por dentro.

NOTABILIDADE INTERNA

Imagine que o dia esteja escaldante, e você e um amigo param em uma loja de conveniência para comprar uma bebida. Você está cansado de refrigerante, mas está a fim de algo com mais sabor do que água. Algo leve e refrescante. Ao examinar o setor de bebidas, uma limonada rosa Snapple atrai sua atenção. Perfeito. Você pega e leva até o caixa para pagar.

Uma vez na rua, você abre a tampa e toma um longo gole. Sentindo-se bastante revigorado, você está prestes a entrar no carro do amigo quando repara em algo escrito dentro da tampa da Snapple.

Fato real # 27: Uma bola de vidro quica mais alto que uma bola de borracha.

Uau. Mesmo?

Você provavelmente ficaria bem impressionado (afinal de contas, quem sequer saberia que vidro pode quicar), mas pense um pouco sobre o que faria a seguir. O que você faria com essa pequena informação recém-descoberta? Guardaria para si ou contaria para o amigo?

Em 2002, Marke Rubenstein, VP executiva da agência de publicidade da Snapple, estava tentando pensar em novas maneiras de entreter seus clientes. A empresa já era conhecida por seus peculiares anúncios de TV apresentando a Snapple Lady, uma mulher de meia-idade vivaz, com um forte sotaque de Nova Iorque, que lia e respondia cartas de fãs da Snapple. Ela era mesmo funcionária da Snapple, e as cartas iam de pessoas pedindo conselhos sobre namoro a solicitações para que a empresa realizasse um sarau em um lar de idosos. Os anúncios eram muito engraçados, e a Snapple estava à procura de algo inteligente e excêntrico nessa linha.

Durante uma reunião de marketing, alguém sugeriu que o espaço embaixo da tampa era um terreno ocioso. A Snapple havia tentado colocar piadas embaixo da tampa com pouco sucesso. Mas as piadas eram medonhas ("Se o lápis #2 é o mais popular, por que ainda é #2?"), de modo que era difícil dizer se o que estava fracassando era a estratégia ou as piadas. Rubenstein e seu time indagavam-se se fatos verídicos poderiam funcionar melhor. Algo "fora do comum que [os consumidores da Snapple] não soubessem e nem sabiam que gostariam de saber".

Assim, Rubenstein e sua equipe produziram uma longa lista de factoides engenhosos e começaram a colocá-los embaixo das tampas – visíveis apenas depois de os consumidores terem comprado e aberto as garrafas.

O fato #12, por exemplo, observa que cangurus não sabem andar de ré. O fato #73 diz que uma pessoa gasta em média duas semanas da sua vida esperando a troca das luzes nos semáforos.

Esses fatos são tão surpreendentes e divertidos que é difícil não querer compartilhar com mais alguém. Duas semanas esperando o semáforo mudar? É inacreditável! Como é que conseguem calcular uma coisa dessas? Pense no que mais se poderia fazer com esse tempo! Se acontecer de você beber uma Snapple com um amigo, vocês vão acabar falando dos fatos que pegaram – de modo semelhante ao que acontece quando sua família abre os biscoitos da sorte depois de uma refeição em um restaurante chinês.

Os fatos da Snapple são tão infecciosos que ficaram gravados na cultura popular. Centenas de websites registram os vários fatos. Comediantes zombam deles em suas apresentações. Alguns fatos são tão inacreditáveis que as pessoas até debatem se estão mesmo corretos. (Sim, a ideia de que cangurus não conseguem andar de ré parece de fato maluca, mas é verdade.)

Você sabia que franzir o cenho queima mais calorias do que sorrir? Que uma formiga consegue erguer 50 vezes o próprio peso? Provavelmente, não. Mas as pessoas compartilham esses e outros factoides semelhantes da Snapple porque eles são *notáveis*. E falar de coisas notáveis proporciona moeda social.

Coisas notáveis são definidas como incomuns, extraordinárias ou dignas de nota e atenção. Algo pode ser notável porque é original, surpreendente, mirabolante ou apenas interessante. Mas o aspecto mais importante das coisas notáveis é que são *dignas de nota*. Dignas de menção. Saber que uma bola de vidro vai quicar mais alto que uma bola de borracha é tão digno de nota que você tem que mencionar.

Coisas notáveis fornecem moeda social, porque fazem as pessoas que falam delas parecer mais, bem, notáveis. Algumas pessoas gostam de ser a alma da festa, e ninguém quer ser desmancha-prazeres. Todos queremos que gostem de nós. O desejo de aprovação social é uma motivação humana fundamental. Se falamos de um fato bacana da Snapple para alguém, isso nos faz parecer mais encantadores. Se falamos de um bar secreto escondido dentro de um restaurante de cachorro-quente, isso nos faz parecer descolados. Compartilhar histórias ou propagandas extraordinárias, originais ou divertidas faz as pessoas parecem mais extraordinárias, originais e divertidas. Faz com que sejam mais divertidas na conversa, e é mais provável que sejam convidadas para almoçar e chamadas para sair uma segunda vez.

Não é de surpreender, portanto, que coisas notáveis sejam mencionadas com mais frequência. Em um estudo, eu e o professor Raghu Iyengar, de Wharton, analisamos quanto boca a boca on-line é gerado por diferentes companhias, produtos e marcas. Examinamos uma enorme lista de 6,5 mil produtos e marcas. De tudo, desde grandes marcas como Wells Fargo e Facebook até pequenas marcas como os Village Squire Restaurants e Jack Link's. De todos os segmentos que você possa imaginar. Bancos e lanchonetes de bagel a lava-louças e lojas de departamento. Então pedimos às pessoas para dar notas à notabilidade de cada produto ou marca e analisamos como essas percepções estavam correlacionadas com a frequência com que eles eram discutidos.

O veredito foi claro: produtos mais notáveis como o Facebook ou filmes de Hollywood eram quase 2 vezes mais falados do que marcas menos notáveis como Wells Fargo e Tylenol. Outra pesquisa verificou resultados semelhantes. Tweets mais interessantes são mais compartilhados e artigos mais interessantes ou surpreendentes têm mais chance de chegar à lista dos mais comentados em e-mail do *New York Times*.

A notabilidade explica por que as pessoas compartilham vídeos de meninas de 8 anos de idade recitando letras de rap de forma impecável e por que minha tia me encaminhou a história de um coiote que foi atropelado por um carro, ficou preso no para-choque por mil quilômetros e sobreviveu. Explica até por que os médicos falam mais sobre alguns pacientes que outros. Toda vez que chega um paciente na emergência com uma história incomum (como alguém que engoliu algum objeto estranho) todo mundo no hospital ouve falar. Um código rosa (rapto de bebê) causa sensação mesmo que seja alarme falso, ao passo que um código azul (parada cardíaca) passa largamente despercebido.

A notabilidade também molda a evolução das histórias com o passar do tempo. Uma série de psicólogos da Universidade de Illinois recrutou duplas de estudantes para o que parecia um estudo de planejamento e desempenho de grupo. Os estudantes foram informados de que deveriam preparar uma pequena refeição juntos e foram conduzidos a uma cozinha profissional de verdade. Diante deles estavam todos os ingredientes necessários para fazer um prato. Pilhas de folhas verdes, frango fresco e suculentos camarões-rosa, tudo pronto para ser picado e jogado na panela.

Mas aí a coisa ficava interessante. Escondida entre os vegetais e o frango, os pesquisadores haviam plantado uma pequena – mas decididamente repulsiva – família de baratas. Argh! Os estudantes recuaram da comida aos gritos.

Depois que a balbúrdia arrefeceu, o pesquisador disse que alguém devia estar pregando uma peça e rapidamente cancelou o estudo. Mas, em vez de mandar as pessoas para casa mais cedo, ele sugeriu que participassem de outro estudo que estava (convenientemente) ocorrendo na sala ao lado.

Todos foram para lá, mas no trajeto foram interrogados sobre o que havia acontecido durante o experimento abortado. Metade foi questionada pelo pesquisador, enquanto a outra, pelo que parecia ser outro estudante (que na verdade estava auxiliando o pesquisador disfarçadamente).

Dependendo de para quem os participantes contavam a história, ela ficava diferente. Se falassem com o outro estudante – ou seja, se tentassem impressionar e divertir em vez de simplesmente narrar os fatos –, as baratas eram maiores, mais numerosas e a experiência toda mais repulsiva. Os estudantes exageravam nos detalhes para tornar a história mais notável.

Todos nós temos experiências semelhantes. De que tamanho era a truta que pegamos da última vez que fomos pescar no Colorado? Quantas vezes o bebê acordou chorando durante a noite?

Muitas vezes nem estamos tentando exagerar; simplesmente não conseguimos recordar todos os detalhes da história. Nossas memórias não são registros perfeitos do que aconteceu. São mais como esqueletos de dinossauro remendados por arqueólogos. Temos os pedações principais, mas faltam algumas partes, de modo que as preenchemos do melhor jeito possível. Fazemos uma estimativa aproximada.

Todavia, nesse processo as histórias com frequência tornam-se mais mirabolantes ou divertidas, em especial quando as pessoas as contam para um grupo. Não fazemos estimativas a esmo, inserimos números ou informações que nos deixem bem e não que nos façam parecer paspalhos. O peixe dobra de tamanho. O bebê não acordou apenas 2 vezes durante a noite – isso não seria notável o bastante –, acordou 7 vezes e exigiu cuidados habilidosos dos pais a cada vez para se acalmar e voltar a dormir.

É como a brincadeira do telefone sem fio. À medida que a história é transmitida de uma pessoa para outra, alguns detalhes somem e outros são acrescentados. E ela se torna cada vez mais notável ao longo do trajeto.

A chave para se encontrar notabilidade interna é pensar sobre o que torna uma coisa interessante, surpreendente ou original. O produto pode fazer alguma coisa que ninguém teria julgado possível (tipo triturar bolas de gude como o Blendtec)? As consequências da ideia ou do assunto são mais drásticas do que as pessoas podem imaginar?

Uma forma de gerar surpresa é quebrar um padrão que as pessoas estão acostumadas a esperar. Vejamos as linhas aéreas de tarifas baixas. O que você espera quando voa por uma dessas companhias? Assentos pequenos, nada de filme, lanches limitados e uma experiência geral de tarifa barata. Mas as pessoas que voam pela JetBlue pela primeira vez com frequência contam para os outros, porque a experiência é notavelmente diferente. Você tem um assento grande e confortável, uma variedade de opções de lanches (de chips Terra Blues a biscoitos de bichinhos) e programação grátis da Directv na televisão diante de você. De modo semelhante, usando filé de kobe e lagosta, a Barclay Prime causou *buzz* por quebrar o padrão do que as pessoas esperavam de um sanduíche de filé com queijo.

Mistério e controvérsia com frequência também são notáveis. *A bruxa de Blair* é um dos exemplos mais famosos dessa abordagem. Lançado em 1999, o filme conta a história de três estudantes de cinema que vão para as montanhas de Maryland para filmar um documentário sobre uma lenda local chamada Bruxa de Blair. Porém, eles supostamente desaparecem, e os espectadores são informados de que o filme foi montado a partir de cenas amadoras "redescobertas", gravadas durante a expedição. Ninguém sabia ao certo se isso era verdade.

O que fazemos quando confrontados com um mistério controverso como esse? Naturalmente pedimos aos outros que nos ajudem a achar a resposta. Assim, o filme rendeu um enorme *buzz* simplesmente por as pessoas indagarem se retratava eventos reais ou não. Aquilo solapou uma crença fundamental (de que bruxas não existem), de modo que as pessoas queriam a resposta, e o fato de haver discordância levou a ainda mais discussão. O *buzz* fez o filme tornar-se um sucesso de bilheteria. Filmado com uma câmera portátil e orçamento de uns 35 mil dólares, arrecadou mais de 248 milhões de dólares no mundo inteiro.

O melhor da notabilidade, porém, é que pode ser aplicada a qualquer coisa. Você poderia pensar que um produto, serviço ou ideia teria que ser inerentemente notável – que notabilidade não é algo que se possa impor de fora. Novas engenhocas high-tech ou filmes de Hollywood naturalmente são mais notáveis que, digamos, diretrizes de atendimento ao cliente ou torradeiras. O que poderia haver de notável em uma torradeira?

Mas é possível encontrar notabilidade interna em qualquer produto ou ideia ao se pensar sobre o que faz aquela coisa destacar-se. Lembra-se da Blendtec, a companhia de liquidificadores de que falamos na Introdução? Ao encontrar sua notabilidade interna, a empresa conseguiu fazer milhões de pessoas falarem de um velho liquidificador sem graça. E conseguiu fazer isso sem publicidade e com uma verba de marketing de cinquenta dólares.

Papel higiênico? Dificilmente parece notável. Mas há poucos anos tornei o papel higiênico um dos tópicos mais falados nas conversas de uma festa. Como? Coloquei um rolo de papel higiênico preto no banheiro. Papel higiênico preto? Ninguém jamais tinha visto papel higiênico colorido antes. E tal notabilidade provocou discussão. Enfatize o que é notável em um produto, e as pessoas vão falar.

ALAVANCAR A MECÂNICA DE JOGO

Faltavam-me 222 milhas.

Há uns anos eu estava agendando uma viagem de ida e volta da Costa Leste para a Califórnia. Era em fins de dezembro, e o final do ano é sempre devagar, de modo que pareceu a época perfeita para visitar amigos. Fui para a internet, examinei um punhado de opções e achei um voo direto que era mais barato que os com conexões. Que sorte a minha! Fui pegar o cartão de crédito.

Mas, ao inserir meu número do cartão fidelidade, apareceram na tela informações sobre meu nível de status. Eu voo bastante e, no ano anterior, havia voado o bastante pela United Airlines para obter o status Premier. Chamar de Premier as regalias que eu recebia parecia a ideia de piada de mau gosto de alguém do marketing, mas era um tratamento levemente melhor do que em geral se recebe na classe econômica. Eu podia despachar bagagem de graça, ter acesso a assentos com espaço ligeiramente maior para as pernas e, na teoria, conseguir upgrades grátis para a classe executiva (embora isso na verdade nunca parecesse acontecer). Nada digno de nota, mas pelo menos eu não tinha que pagar para despachar uma mala.

Naquele ano eu estivera ainda mais ativo. Costumo ficar fixo com uma companhia aérea se consigo, e, nesse caso, pareceu que poderia ser vantajoso. Eu quase havia atingido o nível seguinte de status: Premier Executive.

Mas a palavra-chave aqui é "quase". Faltavam-me 222 milhas. Mesmo com os voos diretos para a Califórnia, indo e vindo, eu não teria milhas suficientes para chegar a Premier Executive.

As regalias de um Premier Executive eram apenas ligeiramente melhores que as de um Premier. Eu despacharia uma terceira mala de graça, teria acesso a lounges especiais da companhia se fizesse voos internacionais e embarcaria no avião segundos mais cedo do que anteriormente. Nada de muito excitante.

Mas eu estava tão perto! E só restavam uns poucos dias para voar as milhas extras exigidas. Aquela viagem a São Francisco era minha última chance.

Então eu fiz o que qualquer pessoa focada em alcançar alguma coisa faz quando perde o bom senso. Paguei mais caro para marcar um voo com conexão.

Em vez de pegar um voo direto para casa, voei por uma rota sinuosa, parando em Boston por duas horas apenas para garantir que teria milhas suficientes para cruzar o umbral.

O primeiro programa de fidelidade importante foi criado em 1981 pela American Airlines. Originalmente concebido como um método para conceder tarifas especiais a clientes frequentes, o programa logo virou o atual sistema de recompensas. Hoje, mais de 180 milhões de pessoas acumulam milhas quando voam. Esses programas motivaram milhões de pessoas a jurar lealdade a uma só companhia aérea e fazer paradas em cidades aleatórias ou voar em momentos inoportunos só para garantir a obtenção de milhas na empresa desejada.

Todos nós sabemos que as milhas podem ser resgatadas para viagens grátis, estadias em hotel e outras regalias. Todavia, a maior parte das pessoas jamais desconta as milhas que acumula. De fato, menos de 10% das milhas são resgatadas a cada ano. Os especialistas estimam que dez trilhões de milhas de programas de fidelidade estejam paradas nas contas, não aproveitadas. O suficiente para ir à lua e voltar 19,4 *milhões* de vezes. É muita milha.

Então, se na verdade não as usam, por que as pessoas são tão apaixonadas por juntar milhas?

Porque é um jogo divertido.

Pense no seu jogo favorito. Pode ser um jogo de tabuleiro, um esporte, até mesmo um jogo de computador ou uma app. Talvez você ame paciência, goste de jogar golfe ou vá à loucura com quebra-cabeças Sudoku. Já parou para pensar alguma vez por que gosta tanto desses jogos? Por que parece que você não consegue parar de jogar?

A mecânica de jogo é um de seus elementos, aplicativo ou programa – inclusive regras e circuito de reação – que o torna divertido e envolvente. Você ganha pontos por se sair bem na paciência. Existem níveis nos quebra-cabeças Sudoku, e os torneios de golfe têm tabelas de classificação. Esses elementos informam aos jogadores onde eles se situam no jogo e como estão se saindo. Uma boa mecânica de jogo mantém as pessoas engajadas, motivadas e querendo sempre mais.

Uma das formas pelas quais a mecânica de jogo motiva é interna. Todos nós gostamos de realizar coisas. Evidências tangíveis de nosso progresso, tais como solucionar um jogo difícil de paciência ou avançar para o nível seguinte dos quebra-cabeças Sudoku nos faz sentir bem. Assim, esses marcos discretos motivam-nos a agir com mais empenho, em especial quando estamos perto de atingi-los. Veja os cartões de pague-dez-ganhe-um-café-grátis que às vezes são oferecidos nos cafés locais. Ao aumentar a motivação, os cartões de fato incitam as pessoas a comprar café com mais frequência à medida que se aproximam da décima xícara e da recompensa.

Mas a mecânica de jogo também nos motiva em nível *inter*pessoal ao encorajar a comparação social.

Há poucos anos, estudantes da Universidade de Harvard foram solicitados a fazer uma escolha aparentemente simples: o que prefeririam, um emprego em que ganhariam cinquenta mil dólares por ano (opção A) ou um no qual ganhariam cem mil dólares por ano (opção B)?

Parece moleza, certo? Todo mundo escolheria a opção B. Mas havia uma pegadinha. Na opção A, os estudantes ganhariam o dobro dos outros, que só receberiam 25 mil dólares. Na opção B, eles receberiam a metade dos outros, que ganhariam duzentos mil dólares. De modo que na opção B os estudantes ganhariam mais dinheiro no geral, mas estariam piores que os outros ao seu redor.

O que a maioria das pessoas escolheu?

A opção A. Preferiam ficar em melhor situação que os outros, mesmo que isso significasse ganhar menos. Escolheram a opção que era pior em termos absolutos, mas melhor em termos relativos.

As pessoas não se importam apenas com a maneira como estão se saindo, importam-se com seu desempenho em relação aos outros. Conseguir embarcar num avião uns minutos mais cedo é uma bela regalia por se chegar ao status Premier. Mas parte do que faz disso uma bela regalia é você conseguir embarcar antes dos outros. Porque os níveis funcionam em dois, bem, níveis. Eles nos informam a todo momento em que lugar estamos em termos absolutos. Mas também deixam claro onde nos situamos em relação aos outros.

Assim como muitos outros animais, os humanos importam-se com hierarquia. Macacos envolvem-se em exibições de status, e cachorros tentam descobrir quem é o alfa. Humanos não são diferentes. Gostamos de sentir que estamos por cima, o cachorro maioral ou líder do bando. Mas status é inerentemente relacional. Ser líder exige um bando e se sair melhor que os outros.

A mecânica de jogo ajuda a gerar moeda social, porque se dar bem nos faz parecer bem. As pessoas adoram alardear as coisas que realizaram: o handicap no golfe, o número de seguidores no Twitter, as notas dos filhos no SAT. Um amigo meu é membro Platinum Medallion da Delta Airlines. Toda vez que viaja, ele dá um jeito de fanfarronar a respeito no Facebook – falando que viu um cara no lounge do Delta Sky Club dando em cima da garçonete ou mencionando o upgrade que conseguiu para a primeira classe. Afinal de contas, para que serve o status se ninguém mais sabe que o temos?

Porém, toda vez que ele orgulhosamente compartilha seu status, também está divulgando a Delta.

E é assim que a mecânica de jogo impulsiona o boca a boca. As pessoas falam porque querem exibir suas realizações, mas junto com isso falam das marcas (Delta ou Twitter) ou domínios (golfe ou SAT) nas quais as realizaram.

Montando um bom jogo

Alavancar a mecânica de jogo exige quantificação de desempenho. Alguns domínios, como o golfe ou as notas do SAT, possuem sistemas métricos embutidos. As pessoas podem ver facilmente como estão se saindo e se comparar com outras sem precisar de qualquer ajuda. Mas, se um produto ou ideia não faz isso de modo automático, precisa receber um "ar" de jogo. É preciso criar ou registrar uma métrica que permita às pessoas ver onde se situam – por exemplo, ícones pelo quanto contribuíram para o quadro de mensagem da comunidade ou bilhetes coloridos diferentes para titulares de bilhetes de temporada.

As companhias aéreas fizeram isso muito bem. Os programas de fidelidade nem sempre existiram. É verdade que as pessoas voam comercialmente há mais de meio século. Mas voar ficou com um ar de jogo há um tempo relativamente recente, com as companhias registrando as milhas voadas e concedendo níveis de status. E, como isso proporciona moeda social, as pessoas adoram falar a respeito.

Alavancar a mecânica de jogo também envolve ajudar as pessoas a propagandear seus feitos. Com certeza alguém pode falar como se deu bem, mas é ainda melhor se existe um símbolo tangível e visível que ela pode mostrar aos outros. O Foursquare, website de rede social baseado na localização, permite aos usuários fazer check-in em bares, restaurantes e outros locais utilizando seus celulares. Fazer check-in ajuda as pessoas a encontrar os amigos, mas o Foursquare também concede insígnias especiais para os usuários com base em seu histórico de check-ins. Dê entrada no mesmo lugar mais do que qualquer outro em um período de sessenta dias e você será coroado prefeito daquele local. Faça check-in em cinco aeroportos diferentes e ganhe uma insígnia de Jetsetter. Essas insígnias não são postadas apenas na conta dos usuários do Foursquare; afinal, como fornecem moeda social, os usuários também as exibem em destaque nas suas páginas do Facebook.

Assim como meu amigo Platinum Medallion, as pessoas mostram suas insígnias para se exibir ou porque estão orgulhosas de si mesmas. Mas junto com isso também estão disseminando a marca do Foursquare.

Uma bela mecânica de jogo pode criar feitos até mesmo do nada. As companhias aéreas transformaram a lealdade em símbolo de status. O Foursquare tornou sinal de distinção ser presença carimbada no bar da esquina. E, ao encorajar os jogadores a postar seus feitos no Facebook, os produtores de jogos on-line conseguiram convencer as pessoas a proclamar ruidosamente – e até fanfarronar – que passam horas jogando no computador todos os dias.

Sistemas de status eficientes são fáceis de entender, mesmo por pessoas que não estejam familiarizadas com o segmento. Ser o prefeito definitivamente soa bem, mas, se você perguntasse para as pessoas nas ruas, aposto que a maioria não saberia dizer se isso é melhor ou pior do que ter uma insígnia de School Night, de Super User, ou qualquer uma das mais de cem outras insígnias que o Foursquare oferece.

As companhias de cartão de crédito enfrentaram a mesma questão. Cartões-ouro costumavam ficar restritos a pessoas que gastavam pesadamente e possuíam um excelente histórico de pagamento.

Mas, quando as companhias começaram a oferecê-lo a pessoas com todos os tipos de crédito, o cartão-ouro perdeu o significado. Então, as companhias apareceram com novas opções para seus clientes verdadeiramente ricos: cartão-platina, cartão-safira e cartão-diamante, entre outros. Mas qual possui maior status, um cartão-diamante ou safira? O platina é superior ou inferior ao safira? Essa desconcertante mistura de cores, minerais e palavras exclusivas cria uma tal confusão no consumidor que ninguém sabe o quanto está se dando bem – muito menos como se comparar com qualquer outro.

Veja o contraste com as medalhas dadas nas Olímpiadas ou na sua competição de corrida local. Se alguém lhe disser que ganhou a prata, você sabe exatamente como ele foi. Mesmo alguém que não sabe quase nada sobre corrida pode dizer na mesma hora se alguém é uma estrela ou está apenas indo direitinho.

Muitos supermercados britânicos usam um sistema de rótulo intuitivo semelhante. A exemplo dos semáforos, utilizam círculos vermelhos, amarelos ou verdes para indicar quanto açúcar, sal e gordura há em diferentes produtos. Sanduíches com pouco sódio são marcados com um círculo verde para sal, ao passo que sopas salgadas recebem um círculo vermelho. Qualquer um consegue sacar o sistema imediatamente e entender como se comportar em função disso.

Muitos concursos também envolvem mecânica de jogo. A Burberry criou um website chamado "Art of the Trench", que é uma montagem de fotos de Burberry e de todos que o usam. Algumas fotos foram tiradas pelos principais fotógrafos do mundo, mas as pessoas também podem mandar fotos delas mesmas ou de seus amigos vestindo o icônico trench coat Burberry. Se você tiver sorte, a Burberry posta sua imagem no website. Sua foto então torna-se parte de um conjunto de imagens que reflete o estilo pessoal através do globo.

Imagine se sua foto fosse selecionada para o site. Qual seria seu primeiro impulso? Você contaria para alguém mais! E não só para uma pessoa. Para um monte de pessoas.

É como aparentemente todo mundo faz. O site da Burberry acumulou milhões de visualizações de mais de cem países diferentes. E o concurso ajudou a impulsionar as vendas em mais de 50%.

Websites de receitas incentivam as pessoas a postar fotos de seus pratos prontos. Programas de perda de peso ou boa forma encorajam fotos de antes e depois, de modo que as pessoas possam mostrar aos outros como sua aparência melhorou. Um novo bar em D.C. até batizou um drinque, o Kentucky Irby, em homenagem a meu melhor amigo (o sobrenome dele é Irby). Ele se sentiu tão especial que falou do drinque para todo mundo que conhece e com isso ajudou a divulgar o novo estabelecimento.

Conceder prêmios funciona através de um princípio semelhante. Os agraciados adoram fanfarronar a respeito – isso lhes dá a oportunidade de dizer aos outros o quanto são maravilhosos. Mas em meio a isso eles têm que mencionar quem deu o prêmio.

O boca a boca também pode vir do processo de votação em si. Decidir o vencedor por voto popular encoraja os concorrentes a angariar apoio. Mas, ao falar para que votem neles, os concorrentes também espalham informação sobre o produto, a marca ou iniciativa que patrocina o concurso. Em vez de fazer o marketing diretamente, a companhia usa o concurso para levar os concorrentes a fazê-lo.

E isso nos leva à terceira forma de gerar moeda social: fazer com que as pessoas sintam-se por dentro.

FAZER AS PESSOAS SENTIREM-SE POR DENTRO

Em 2005, Ben Fischman tornou-se CEO da SmartBargains.com. O website de compras com desconto vendia de tudo, de vestuário e roupa de cama a objetos de decoração e malas. O modelo de negócio era simples: companhias querendo descarregar itens de queima de estoque ou mercadoria extra vendiam mais barato para o SmartBargains, que passava as ofertas para o consumidor. Havia uma ampla variedade de mercadorias, e os preços com frequência eram até 75% mais baixos que no varejo.

Mas em 2007 o website estava patinando. As margens sempre haviam sido baixas, mas a excitação a respeito da marca havia se dissipado, e o ímpeto estava desacelerando. Também havia surgido uma série de websites parecidos, e o SmartBargains lutava para se diferenciar dos concorrentes semelhantes.

Um ano depois, Fischman começou um novo site chamado Rue La La. Este continha artigos de design de alta qualidade, mas se focava em "vendas-relâmpago", nas quais as ofertas ficavam disponíveis apenas por tempo limitado – 24 horas ou dois dias no máximo. E o site seguia o mesmo modelo da venda de mostruários da indústria. Acesso apenas por convite. Você tinha que ser convidado por alguém que já fosse membro.

As vendas decolaram, e o site se deu extremamente bem. Tão bem, de fato, que em 2009 Ben vendou os dois websites por 350 milhões de dólares.

O sucesso do Rue La La, contudo, é particularmente digno de nota devido a um detalhezinho.

Ele vendia os mesmos produtos que o SmartBargains. Os mesmíssimos vestidos, saias e ternos.

Então o que transformou um website sem graça em um no qual as pessoas clamavam para entrar? Como pôde o Rue La La ser tão mais bem-sucedido?

Foi porque ele fez as pessoas sentirem-se por dentro.

Ao tentar calcular como salvar o SmartBargains, Fischman reparou que uma parte do negócio estava indo incrivelmente bem. O clube de fidelidade Smart Shopper permitia aos inscritos tarifas de frete reduzidas e acesso a uma área de compras privada. Era uma parte pequena do site, mas crescia em disparada.

Ao mesmo tempo, Fischman ficou sabendo de um conceito chamado *vente privée,* na França, ou venda privada. Vendas-relâmpago on-line disponíveis apenas por um dia. Fischman decidiu que esse era o caminho perfeito para dar uma repaginada singular em seu negócio.

E foi. O Rue La La veio com tudo, porque alavancou o fator de urgência de forma inteligente. Parte disso começou por acaso. Toda manhã o site postava novas ofertas às 11h. Mas nos primeiros dois meses a demanda foi tão maior que o esperado que às 11h30 já estava tudo vendido. Acabado. De modo que os clientes aprenderam que, se não chegassem lá imediatamente, perderiam.

Ao crescer, o Rue La La manteve a disponibilidade limitada. Ainda vende de 40% a 50% dos itens na primeira hora. As vendas cresceram, mas não porque a receita tenha ficado maior ao longo do dia. Os picos de tráfego às 11h simplesmente atingiram níveis cada vez altos.

Partir para o modelo de exclusividade para sócios também fez os membros do site sentirem-se privilegiados. Assim como o cordão de veludo que impede os frequentadores comuns de entrar em uma casa noturna exclusiva, as pessoas presumiram que, se era preciso ser membro, o site deveria ser realmente desejável.

Os membros do Rue La La são seus melhores embaixadores. Eles fazem proselitismo melhor do que qualquer campanha publicitária poderia fazer. Conforme Fischman observou:

> *É como o recepcionista de um hotel. Você vai até lá para saber de um restaurante, e ele lhe dá um nome na mesma hora. A dedução é que ele está sendo pago para sugerir aquele lugar e que o restaurante provavelmente é medíocre. Mas, se um amigo recomenda um lugar, você mal pode esperar para ir lá. Bem, quando um amigo lhe diz que você tem que experimentar o Rue La La, você acredita nele. E experimenta.*

O Rue La La ativou o poder do que os amigos falam para os amigos.

Embora possa não parecer óbvio de imediato, o Rue La La na verdade tem muito em comum com o Please Don't Tell, o bar secreto de que falamos no início do capítulo. Ambos usam escassez e exclusividade para fazer os clientes sentirem-se privilegiados.

Escassez tem a ver com o quanto se oferece de alguma coisa. Coisas escassas estão menos disponíveis devido à alta demanda, produção limitada ou restrições de tempo ou local para que você possa adquiri-las. O bar secreto Please Don't Tell tem apenas 45 assentos e não permite a entrada de mais pessoas além disso. As ofertas do Rue La La ficam disponíveis por apenas 24 horas; algumas até se esgotam em 30 minutos.

Exclusividade também tem a ver com disponibilidade, mas de um jeito diferente. Coisas exclusivas estão acessíveis apenas a pessoas que preenchem determinados critérios. Quando pensamos em exclusividade, tendemos a pensar em Rolexes vistosos de vinte mil dólares, cravejados de diamantes, ou em confraternizar com astros de cinema em St. Croix. Mas exclusividade não tem a ver apenas com dinheiro ou celebridade. Também tem a ver com conhecimento: saber determinada informação ou estar conectado com pessoas que sabem. E é aí que entram o Please Don't Tell e o Rue La La. Você não tem que ser uma celebridade para entrar no Please Don't Tell, mas, como ele é escondido, apenas certas pessoas sabem que ele existe. O dinheiro não pode comprar o acesso ao Rue La La. O acesso é apenas por convite, de modo que você tem que conhecer algum usuário.

Escassez e exclusividade ajudam os produtos a pegar por torná-los mais desejáveis. Se algo é difícil de obter, as pessoas presumem que deve valer o esforço. Se algo está indisponível ou acabou, as pessoas com frequência deduzem que muitos gostam daquilo e, portanto, deve ser muito bom (algo de que falaremos mais no capítulo Público). As pessoas avaliam livros de receitas mais favoravelmente quando estão em oferta limitada, acham os biscoitos mais saborosos quando são escassos e consideram a meia-calça o máximo quando está menos disponível.

A Disney usa o mesmo conceito para aumentar a demanda por filmes com décadas de idade. Retira de mercado títulos de destaque das animações, como *Branca de Neve* e *Pinóquio*, e os deixa no "Cofre Disney" até decidir relançá-los. Essa disponibilidade limitada nos faz sentir como se *tivéssemos* que agir agora. Se não o fizermos, podemos perder a oportunidade, mesmo que, por outro lado, de início nem a quiséssemos.*

Escassez e exclusividade impulsionam o boca a boca por fazer as pessoas se sentirem privilegiadas. Se conseguem algo que nem todos os outros têm, isso faz com que se sintam especiais, únicas, por cima. E devido a isso não só vão gostar mais do seu produto ou serviço, mas vão falar para os outros. Por quê? Porque falar para os outros vai render uma boa impressão para elas mesmas. Ter conhecimento privilegiado é moeda social. Quando as pessoas que esperaram horas na fila enfim conseguem aquela novidade tecnológica, uma das primeiras coisas que fazem é mostrar para os outros. Olhe para *mim* e para o que *eu* consegui descolar!

E, para que você não pense que apenas categorias exclusivas como bares e roupas podem se beneficiar por fazer as pessoas sentirem-se especiais, deixe-me contar como o McDonald's criou moeda social em torno de uma mistura que reúne tripas, coração e bucho.

Em 1979, o McDonald's lançou o Chicken McNuggets. Foi um tremendo sucesso, e toda franquia do país queria. Mas na época o McDonald's não possuía um sistema adequado para atender à demanda. Por isso, o chef executivo Rene Arend foi encarregado de

---

* Observe que dificultar o acesso é diferente de impossibilitá-lo. Claro que conseguir uma reserva no Please Don't Tell é dureza, mas, se as pessoas ligarem o bastante, vão conseguir descolar uma mesa. E, embora o Rue La La seja aberto apenas para membros, recentemente instituiu a política de que mesmo não membros podem obter acesso registrando-se com um endereço de e-mail. Usar a escassez e a exclusividade no início e mais adiante afrouxar as restrições é uma maneira particularmente boa de aumentar a demanda.

Além disso, fique atento ao fato de que restringir a disponibilidade pode dar um ar de presunção ou soberba. As pessoas estão acostumadas a obter o que querem e, se ouvem "não" em excesso, podem ir para outro lugar. No Please Don't Tell, Jim Meehan trata desse problema de maneira explícita, instruindo sua equipe para, caso seja necessário dizer "não", tentar achar um jeito de dizer "não, mas". Tipo: "Não, infelizmente estamos lotados para as 20h30, mas que tal 23h?", ou, "Não, não temos a marca X, mas temos a Y, gostaria de experimentar?". Ao administrar a decepção, mantém-se o fascínio, ao mesmo tempo que se mantém a satisfação do cliente.

conceber um novo produto para as franquias desafortunadas que não conseguiam frango suficiente. Algo que as mantivesse felizes a despeito da carência.

Arend propôs um sanduíche de porco chamado McRib. Ele tinha recém-voltado de uma viagem a Charleston, Carolina do Sul, e foi inspirado pelo churrasco sulista. Ele adorou o sabor encorpado e defumado e achou que seria um acréscimo perfeito ao menu do McDonald's.

Mas, ao contrário do que o nome sugere, na verdade há bem pouca costela de porco no McRib. Em vez disso, imagine um bife de carne de porco moída no formato de algo que parece uma costela. Tire os ossos (e a maior parte da carne de primeira), acrescente molho barbecue, cubra com cebolas e picles, jogue dentro de um pão e você tem o McRib.

Deixando de lado a ausência de costela, o produto saiu-se muito bem no teste de mercado. O McDonald's ficou entusiasmado e logo acrescentou o produto ao menu nacional. Os McRibs estavam por toda parte, da Flórida a Seattle.

Mas então chegaram os números de vendas. Infelizmente, eram muito mais baixos que o esperado. O McDonald's tentou promoções e atrações, mas nada funcionou muito. Assim, uns anos depois a empresa descartou o McRib, alegando falta de interesse dos norte-americanos em carne de porco.

Entretanto, uma década mais tarde, o McDonald's arranjou uma forma inteligente de aumentar a demanda de McRibs. Não gastou mais dinheiro em publicidade. Não alterou o preço. Não mudou nem sequer os ingredientes.

Apenas tornou o produto escasso.

Às vezes, trazia o produto de volta em âmbito nacional por tempo limitado, em outras ocasiões oferecia-o em certas localidades, mas não em outras. Em um mês era oferecido apenas nas franquias de Kansas City, Atlanta e Los Angeles. Dois meses depois, seria oferecido apenas em Chicago, Dallas e Tampa.

E a estratégia funcionou. Os clientes ficaram entusiasmados com o sanduíche. Começaram a pipocar grupos no Facebook pedindo à companhia: "Traga o McRib de volta!". Os adeptos usaram o Twitter para proclamar seu amor pelo lanche ("Sorte minha, o McRib está de volta") e para saber onde podiam encontrá-lo ("Só uso o Twitter para descobrir onde o McRib está disponível"). Alguém até criou um localizador de McRib para que os fãs pudessem compartilhar os locais que ofereciam o sanduíche. Tudo isso para algo que é basicamente uma mistura de tripas, coração e bucho.

Fazer com que as pessoas sintam-se privilegiadas pode beneficiar todos os tipos de produtos e ideias. Independentemente de o produto ser descolado e bacana ou uma mistura de sobras de porco. O simples fato de que algo não está prontamente disponível pode fazer as pessoas o valorizarem mais e contar aos outros para se capitalizarem com a moeda social de saber de alguma coisa ou possuí-la.

UMA BREVE NOTA SOBRE MOTIVAÇÃO

Há poucos anos, vivi um rito de passagem masculino fundamental. Entrei para uma liga de futebol fantasia.

O futebol fantasia tornou-se um dos mais populares passatempos informais norte-americanos. Para quem não está familiarizado com o jogo, trata-se essencialmente de ser o diretor-geral de um time imaginário. Milhões de pessoas passam incontáveis horas observando jogadores, avaliando seu desempenho a cada semana e aprimorando as escalações.

Sempre me pareceu engraçado que as pessoas gastassem tanto tempo em algo que é essencialmente um esporte para se assistir. Mas, quando um grupo de amigos precisou de mais uma pessoa e me perguntou se eu jogaria, respondi: por que não?

E é claro que fui fisgado. Passava horas por semana vasculhando notas rápidas, lendo sobre jogadores dos quais nunca tinha ouvido falar e tentando encontrar um novo talento que outras pessoas não tivessem escalado. Quando a temporada começou, me vi assistindo futebol, coisa que nunca tinha feito antes. E não era para ver se meu time local ganharia. Eu observava times dos quais não sabia nada, conferindo quais jogadores meus estavam se saindo melhor e aprimorando minha escalação todas as semanas.

Mas a parte mais interessante?

Fiz tudo isso de graça.

Ninguém me pagou pelas horas que gastei, e eu e meus amigos nem havíamos feito apostas sobre os resultados. Jogávamos apenas pela diversão. E pelo direito de se gabar, claro. Contudo, visto que se sair melhor que os outros é moeda social, todo mundo estava motivado a ir bem. Mesmo sem um incentivo monetário.

A moral? As pessoas não precisam ser pegas para ser motivadas. Gestores com frequência apelam para incentivos monetários ao tentar motivar empregados – algum presente ou outra regalia para levar as pessoas a agirem. Mas essa é uma maneira errada de pensar. Muita gente vai indicar um amigo se você pagar cem dólares para isso. Ofereça às pessoas a chance de ganhar uma Lamborghini dourada e elas farão quase qualquer coisa. Mas, como muitos incentivos monetários, dar Lamborghinis douradas custa caro.

Além do mais, assim que paga as pessoas para fazerem algo, você inibe a motivação intrínseca. As pessoas ficam felizes de falar de companhias e produtos de que gostam, e milhões fazem isso de graça todos os dias, sem incentivo. Mas, tão logo você se oferece a pagar as pessoas para indicar clientes, qualquer interesse que elas tenham tido em fazê-lo de graça vai desaparecer. As decisões dos clientes sobre compartilhar ou não já não serão mais baseadas no quanto gostam de um produto ou serviço. Em vez disso, a qualidade e quantidade de *buzz* será proporcional ao valor do que recebem.

Incentivos sociais, assim como a moeda social, são mais efetivos a longo prazo. O Foursquare não paga aos usuários para fazerem check-ins em bares, e as companhias aéreas não dão descontos a membros de programas de fidelidade. Mas, ao aproveitar o desejo das pessoas de causar boa impressão nos outros, os clientes fazem essas coisas assim mesmo – e fazem boca a boca de graça.

NÃO CONTE, POR FAVOR? CERTO, TUDO BEM. QUEM SABE SÓ PARA UMA PESSOA...

Como levamos as pessoas a falar e fazemos com que nossos produtos e ideias peguem? Uma maneira é cunhar moeda social. As pessoas gostam de causar boa impressão; assim, precisamos tornar nossos produtos uma forma de obterem isso. Como o *Will It Blend?*, do Blendtec, precisamos encontrar a notabilidade interna. Como o Foursquare ou as companhias aéreas com suas categorias de passageiros frequentes, precisamos alavancar a mecânica de jogo. Como o Rue La La, precisamos usar a escassez e a exclusividade para fazer as pessoas sentirem-se privilegiadas.

O impulso de falarmos sobre nós mesmos nos faz voltar ao ponto de partida, o Please Don't Tell. Os proprietários são espertos. Entendem que segredos impulsionam a moeda social, mas não param por aí. Depois que você paga suas bebidas, o garçom lhe entrega um pequeno cartão de visita. Todo preto, como o cartão de um vidente ou adivinho. Em letras vermelhas, o cartão diz apenas "Please Don't Tell" e inclui um número de telefone.

Então, embora tudo sugira que os proprietários desejam manter o local na moita, no final da experiência asseguram-se de que você tenha o telefone deles. Para o caso de você querer compartilhar o segredo.

2. Gatilhos

Walt Disney World. Diga essas palavras para crianças com menos de 8 anos de idade e só espere pelos gritos entusiasmados. Mais de 18 milhões de pessoas de todo o mundo visitam o parque temático de Orlando, Flórida, todos os anos. A garotada maior adora o despencar assustador da Space Mountain e da Tower of Terror. Os menores deleitam-se com a magia do castelo da Cinderela e a emoção de explorar os rios da África no Jungle Cruise. Até adultos sorriem alegremente ao apertar a mão de amados personagens da Disney, como Mickey Mouse e Pateta.

As recordações da minha primeira visita no começo dos anos 1990 ainda me fazem sorrir. Meu primo e eu fomos escolhidos entre a plateia para representar Gilligan e o Comandante na *Ilha dos Birutas* ("Gilligan's Island"). Meu semblante de louco triunfado no meu rosto por ter conduzido o barco para um local seguro com sucesso – depois de ser encharcado com dúzias de baldes de água – é lendário na minha família até hoje.

Agora, compare essas imagens emocionantes com uma caixa de Honey Nut Cheerios. Sim, o clássico cereal matinal com uma abelha mascote que "combina as boas qualidades de Cheerios com o irresistível sabor de mel dourado". Considerado razoavelmente saudável, o Honey Nut Cheerios ainda é açucarado o bastante para agradar as crianças e qualquer um que goste de doçuras, e se tornou alimentação básica em muitos lares norte-americanos.

Qual desses produtos – Disney World ou Honey Nut Cheerios – você acha que rende mais boca a boca? O Reino Encantado? Aquele que se autodescreve como o lugar onde os sonhos viram realidade?

Ou o Cheerios? O cereal feito de grãos de aveia integral que pode ajudar a reduzir o colesterol?

Evidentemente a resposta é Disney World, certo? Afinal, falar de nossas aventuras lá é muito mais interessante do que discutir o que se come no café da manhã. Se os sábios do boca a boca concordam em algo, é que ser interessante é essencial se você quer que as pessoas falem. A maioria dos livros de marketing sobre *buzz* vão lhe dizer isso. E também os gurus sociais. "Ninguém fala de companhias sem graça, produtos sem graça, ou anúncios sem graça", argumenta um destacado defensor do boca a boca.

Infelizmente, ele está errado. Assim como todos os outros que aderem à teoria de que o interesse é soberano. E, para que você não pense que isso contradiz o que falamos no capítulo anterior sobre Moeda Social, leia adiante. As pessoas falam mais sobre Cheerios do que sobre Disney World. O motivo? *Gatilhos*.

FAZENDO *BUZZ* PARA A BZZAGENT

Ninguém confundiria Dave Balter com um tubarão da Madison Avenue conforme retratado na popular série de TV *Mad Men*. Ele é jovem – apenas 40 anos – e parece ainda mais moço, com bochechas de adolescente, óculos com aros de metal e um sorrisão franco. Ele também é verdadeiramente apaixonado por marketing. Sim, *marketing*. Para Dave, marketing não se trata de convencer as pessoas a comprar coisas que elas não querem ou de que não precisam. Marketing tem a ver com tocar no verdadeiro entusiasmo por produtos e serviços que elas possam achar úteis. Ou divertidos. Ou bonitos. Marketing tem a ver com espalhar amor.

Dave começou a carreira como um suposto homem de marketing no setor de fidelidade, concebendo formas de recompensar os clientes por se manterem fiéis a uma marca específica. Ele criou e vendeu duas agências de promoção antes de fundar a firma atual, a BzzAgent.

Eis aqui como funciona a BzzAgent. Digamos que você seja a Philips, fabricante da escova de dente elétrica Sonicare. As vendas estão boas, mas o produto é novo, e a maioria das pessoas não sabe o que é ou por que haveriam de querer comprá-lo. Os clientes da Sonicare estão começando a falar dela, mas você quer acelerar as coisas, fazer mais gente falar.

É aí que entra a BzzAgent.

Ao longo dos anos, a companhia construiu uma rede de mais de oitenta mil BzzAgents, pessoas que disseram ter interesse em conhecer e testar produtos novos. Os agentes abrangem um amplo espectro de idade, renda e ocupação. A maioria tem entre 18 e 54 anos de idade, com bom nível de instrução e renda razoável. Professores, donas de casa, profissionais liberais, PhDs e até mesmo CEOs são BzzAgents.

Se você indagar que tipo de pessoa seria um BzzAgent, a resposta é: *você*. Os agentes refletem a população dos Estados Unidos em geral.

Quando um novo cliente liga, a equipe de Dave vasculha seu enorme banco de dados para encontrar BzzAgents que se encaixem no perfil demográfico ou psicográfico desejado. A Philips acredita que sua escova de dente vai atrair primeiramente profissionais ocupados de 25 a 35 anos de idade da Costa Leste? Sem problema, Dave tem vários milhares de plantão. Você prefere mães que trabalham e se preocupam com higiene dental? Ele também tem.

A BzzAgent então contata os agentes adequados de sua rede e os convida a participar de uma campanha. Aqueles que concordam recebem um kit pelo correio contendo informações sobre o produto e cupons para um teste grátis. Os participantes da campanha da Sonicare, por exemplo, receberam uma escova de dente e cinco reembolsos via correio de dez dólares nas escovas de dente para dar para outros. Os participantes de uma campanha do Taco Bell receberam cupons para tacos grátis. Porque tacos são difíceis de enviar pelo correio.

Então, nos meses seguintes, os BzzAgents mandam relatórios descrevendo as conversas que tiveram sobre o produto. Importante: os BzzAgents não são pagos. Eles fazem isso pela oportunidade de receber coisas de graça e conhecer produtos novos antes dos amigos e familiares. E jamais são pressionados a falar nada a não ser aquilo em que honestamente acreditam, quer gostem ou não do produto.

Quando ouvem falar da BzzAgent pela primeira vez, algumas pessoas argumentam que não é possível que funcione. As pessoas não mencionam produtos de forma espontânea em conversas do cotidiano, asseguram. Simplesmente não pareceria natural.

Mas o que a maioria não percebe é que se fala naturalmente sobre produtos, marcas e organizações o tempo todo. Todo dia, o norte-americano médio envolve-se em mais de 16 episódios de boca a boca, conversas distintas nas quais diz algo de positivo ou negativo sobre uma organização, marca, produto ou serviço. Sugerimos restaurantes para os colegas de trabalho, falamos sobre uma grande liquidação para o pessoal da família e recomendamos baby-sitters responsáveis para os vizinhos. Os consumidores norte-americanos mencionam marcas específicas mais de três bilhões de vezes por dia. Esse tipo de conversa social é quase como respirar. É tão básica e frequente que nem percebemos que estamos fazendo.

Se quiser ter uma noção melhor de si mesmo, tente manter um diário de suas conversas por 24 horas. Tenha papel e caneta consigo e anote todas as coisas que menciona ao longo de um dia. Você ficará surpreso com todos os produtos e ideias de que fala a respeito.

Curioso para saber como funcionava uma campanha, entrei para a BzzAgent. Sou um grande fã de leite de soja, de modo que, quando a Silk fez uma campanha para leite de amêndoa, tive que experimentar. (Afinal, como conseguem tirar leite de uma amêndoa?) Usei um cupom, peguei o produto em uma loja e provei. Era maravilhoso.

O produto não era apenas bom, era tão bom que simplesmente *tive* que contar para os outros. Mencionei o leite de amêndoa Silk para amigos que não bebem leite comum e dei cupons para que experimentassem. Não porque eu tivesse que fazê-lo. Ninguém estava me vigiando para garantir que eu falasse. Eu apenas gostei do produto e achei que outros também poderiam gostar.

E é exatamente por isso que a BzzAgent e outras firmas de marketing boca a boca são eficientes. Não forçam as pessoas a dizer coisas boas sobre produtos que detestam. Tampouco aliciam as pessoas para que artificialmente enxertem recomendações de produtos nas conversas. A BzzAgent simplesmente aproveita o fato de que as pessoas já mencionam e compartilham produtos e serviços com os outros. Dê às pessoas um produto de que gostem, e elas ficarão felizes em divulgar.

POR QUE AS PESSOAS FAZEM MAIS *BUZZ* DE ALGUNS PRODUTOS DO QUE DE OUTROS?

A BzzAgent coordenou centenas de campanhas para clientes tão variados quanto Ralph Lauren, March of Dimes e Holiday Inn Express. Algumas campanhas tiveram mais sucesso em gerar boca a boca que outras. Por quê? Alguns produtos ou ideias simplesmente tiveram sorte? Ou havia alguns princípios subjacentes impelindo certos produtos a serem mais falados?

Me ofereci para ajudar a encontrar a resposta. Entusiasmado diante dessa perspectiva, Dave liberou para meu colega Eric Schwartz e para mim o acesso aos dados de centenas de campanhas conduzidas por ele ao longo dos anos.

Começamos testando uma ideia intuitiva: produtos interessantes são mais falados que os sem graça. Produtos podem ser interessantes porque são novidade, excitantes ou confundem as expectativas de alguma maneira. Se o interesse incita a conversa, então filmes de ação e Disney World deveriam ser mais falados que Cheerios e lava-louças.

Intuitivamente isso faz sentido. Conforme discutidos no capítulo sobre Moeda Social, quando conversamos com os outros, não estamos apenas passando informação, também estamos dizendo algo sobre nós mesmos. Quando tagarelamos sobre um novo filme estrangeiro ou expressamos decepção com o restaurante tailandês da esquina, estamos demonstrando nosso conhecimento e gosto cultural e culinário. Visto que queremos que os outros nos achem interessantes, procuramos coisas igualmente interessantes para contar a eles. Afinal, quem iria querer convidar alguém para um coquetel se a pessoa só falasse de lava-louça e cereal matinal?

Baseados nessa ideia, os anunciantes com frequência tentam criar anúncios surpreendentes ou mesmo chocantes. Macacos dançarinos ou lobos famintos perseguindo uma banda. Campanhas de marketing de guerrilha ou virais baseiam-se na mesma noção: vestir pessoas com fantasia de galinha e distribuir notas de cinquenta dólares no metrô. Faça algo realmente diferente ou as pessoas não vão falar.

Mas isso é mesmo verdade? As coisas precisam ser interessantes para ser discutidas?

Para descobrir, pegamos centenas de produtos que haviam feito parte das BzzCampaigns e perguntamos às pessoas o quão interessantes achavam cada um deles. Um aparelho automático para limpar o boxe do chuveiro? Um serviço de conservação do cordão umbilical de recém-nascidos? Ambos pareciam bastante interessantes. Enxaguante bucal e granola? Não muito interessante.

Então analisamos a relação entre o índice de interesse de um produto e a frequência com que havia sido falado durante a campanha de dez semanas.

Mas não havia relação nenhuma. Produtos interessantes não conseguiram mais boca a boca que os sem graça.

Intrigados, demos um passo atrás. Quem sabe "interesse" fosse o termo errado, um conceito potencialmente vago ou genérico demais? Então pedimos às pessoas para dar notas aos produtos com base em dimensões mais concretas, como ineditismo e surpresa. Uma escova de dente eletrônica foi vista como muito mais inédita que sacos plásticos de armazenamento; sapatos projetados para serem tão confortáveis quanto tênis foram vistos como bem mais surpreendentes que toalhas de banho.

Mas ainda assim não havia relação entre os índices de novidade ou surpresa e o boca a boca geral. Produtos mais inéditos ou surpreendentes não conseguiam mais boca a boca.

Talvez fossem as pessoas que estavam avaliando os produtos. Primeiro havíamos utilizado universitários não formados, então recrutamos um novo grupo de pessoas de todas as idades e níveis.

Nada. Os resultados permaneceram os mesmos de novo. Nenhuma correlação entre níveis de interesse, novidade ou surpresa e o número de vezes que as pessoas falaram sobre os produtos.

Ficamos verdadeiramente atônitos. O que estávamos fazendo de errado?

Nada, foi a conclusão. Apenas não estávamos fazendo as perguntas certas.

A DIFERENÇA ENTRE BOCA A BOCA IMEDIATO E CONTÍNUO

Estivéramos focados em saber *se* certos aspectos importam – mais especificamente, se produtos mais interessantes, inéditos ou surpreendentes geram mais assunto. Mas, conforme logo percebemos, também deveríamos ter examinado *quando* interessam.

Parte do boca a boca é imediato, enquanto outra parte é contínua. Imagine que você acabou de receber um e-mail sobre uma nova iniciativa de reciclagem. Você fala a respeito com seus colegas de trabalho mais tarde no mesmo dia? Menciona para seu cônjuge no final de semana? Caso sim, você está fazendo *boca a boca imediato*. Isso ocorre quando você repassa os detalhes de uma experiência ou compartilha uma nova informação logo após o acontecimento.

O *boca a boca contínuo*, por outro lado, abrange as conversas que você mantém nas semanas e meses seguintes. O filme que você viu no mês passado ou a viagem de férias do ano passado.

Ambos os tipos de boca a boca são valiosos, mas certos tipos são mais importantes para determinados produtos ou ideias. Os filmes dependem do boca a boca imediato. Os cinemas estão em busca de sucesso pra já, por isso, se um filme não for bem logo de cara, será substituído por outro. Novos produtos alimentícios estão sob pressão semelhante. As mercearias possuem espaço limitado nas prateleiras. Se os consumidores não começam a comprar uma nova margarina anticolesterol imediatamente, a loja pode deixar de mantê-la no estoque. Em tais casos, o boca a boca imediato é crucial.

Entretanto, para a maioria dos produtos ou ideias, o boca a boca contínuo é mais importante. Campanhas antibullying não desejam que os estudantes falem a respeito apenas logo após o lançamento, querem que continuem divulgando até o bullying ser erradicado. Novas iniciativas políticas com certeza beneficiam-se da enorme discussão quando são apresentadas; contudo, para influenciar a opinião dos eleitores, as pessoas precisam continuar mencionando-as até o dia das eleições.

Mas o que leva alguém a falar sobre alguma coisa logo depois que ela ocorre? E são essas as mesmas coisas que as levam a continuar falando a respeito semanas e meses depois?

Para responder essas questões, dividimos os dados de cada BzzCampaign em duas categorias: boca a boca imediato e contínuo. Então observamos quanto de cada tipo de *buzz* foi gerado por diferentes tipos de produtos.

Conforme suspeitávamos, produtos interessantes tiveram mais boca a boca imediato do que produtos sem graça. Isso reforça o que falamos no capítulo sobre Moeda Social: coisas interessantes são divertidas e se refletem de modo positivo sobre a pessoa que fala delas.

Mas produtos interessantes não *sustentam* níveis elevados de atividade boca a boca ao longo do tempo. Produtos interessantes não rendem mais boca a boca contínuo que os sem graça.

Imagine um dia eu chegar no trabalho vestido de pirata. Uma bandana de cetim vermelho berrante, colete preto comprido, brincos de ouro e um tapa-olho. Seria de fato notável. As pessoas no meu escritório provavelmente fofocariam a respeito o dia inteiro. ("O que diabos Jonah está fazendo? A sexta casual é para ser descontraída, mas isso já está indo longe mais.")

Embora meu traje de pirata rendesse um monte de boca a boca imediato, as pessoas provavelmente não continuariam falando dele todas as semanas pelos próximos dois meses.

Então, se o interesse não incita o boca a boca contínuo, o que faz isso? O que mantém as pessoas falando?

DAS BARRAS MARS ÀS ELEIÇÕES: COMO OS GATILHOS AFETAM O COMPORTAMENTO

A todo momento alguns pensamentos são mais *top of mind*, ou acessíveis, que outros. Nesse instante, por exemplo, você pode estar pensando sobre a frase que está lendo ou no sanduíche que comeu no almoço.

Algumas coisas são habitualmente acessíveis. Um fanático por esportes ou culinária geralmente tem esses assuntos na cabeça. Ele pensa constantemente nas estatísticas mais recentes de seu time ou sobre maneiras de combinar ingredientes em pratos saborosos.

Mas os estímulos no ambiente circundante também podem determinar quais pensamentos e ideias ficam na cabeça. Se você vê um cachorrinho enquanto corre no parque, pode lembrar que sempre quis adotar um cachorro. Se sente cheiro de comida chinesa ao passar pela loja de macarrão da esquina, pode começar a pensar sobre o que pedir para o almoço. Ou, se ouve uma propaganda da Coca, pode lembrar que o refrigerante acabou na noite passada. Visões, odores e sons podem *ativar* pensamentos e ideias correlatos, deixando-os mais presentes na mente. Um dia quente pode ativar pensamentos sobre a mudança climática. Ver uma praia em uma revista de viagens pode ativar pensamentos sobre cerveja Corona.

Usar um produto é um gatilho poderoso. A maioria das pessoas bebe leite com mais frequência que suco de uva, de modo que o leite vem à mente com mais frequência. Mas os gatilhos também podem ser indiretos. Ver um pote de manteiga de amendoim não só nos leva a pensar nela, como também nos faz pensar em sua companheira habitual, a geleia. Os gatilhos são como pequenos lembretes ambientais para conceitos e ideias relacionados.

Por que é importante se determinados pensamentos ou ideias são *top of mind*? Porque pensamentos e ideias acessíveis levam à *ação*.

Lá nos meados de 1997, a companhia de doces Mars notou um pequeno aumento inesperado nas vendas de seu chocolate. A companhia ficou surpresa, porque não havia mudado o marketing em nada. Não estava gastando mais dinheiro em anúncios, não havia alterado o preço e não havia lançado nenhuma promoção especial. Todavia, as vendas tinham aumentado. O que havia acontecido?

A NASA. Mais especificamente, a missão Pathfinder da NASA.

A missão planejada para coletar amostras da atmosfera, o clima e solo de um planeta vizinho. O empreendimento consumiu anos de preparação e milhões de dólares em recursos. Quando o módulo enfim aterrissou na paisagem alienígena, o mundo inteiro foi arrebatado, e todos os veículos de notícias apresentaram o triunfo da NASA.

O destino da Pathfinder? Marte.

As barras Mars têm esse nome em função do fundador da companhia, Franklin Mars, não do planeta. Mas a atenção da mídia dada ao planeta agiu como um gatilho que lembrou as pessoas do doce e aumentou as vendas. Talvez os fabricantes da Sunny Delight devessem encorajar a NASA a explorar o sol.

Os pesquisadores de música Adrian North, David Hargreaves e Jennifer McKendrick examinaram como os gatilhos podem afetar mais amplamente o comportamento de compra nos supermercados. Sabe aquele muzak que você está acostumado a ouvir enquanto compra alimentos? Bem, North, Hargreaves e McKendrick substituíram-no sutilmente por músicas de diferentes países. Em alguns dias tocaram música francesa, em outros música alemã – aquilo que se esperaria ouvir na área externa de um café francês às margens do Sena e na Oktoberfest. E então quantificaram o tipo de vinho que as pessoas compraram.

Quando tocou música francesa, a maioria das pessoas comprou vinho francês. Quando tocou música alemã, a maioria dos clientes comprou vinho alemão. Ao estimular os consumidores a pensar em diferentes países, a música afetou as vendas. A música deixou as ideias relacionadas àqueles países mais acessíveis, e essas ideias repercutiram no comportamento.

A psicóloga Gráinne Fitzsimons e eu conduzimos um estudo sobre como incentivar as pessoas a comer mais frutas e vegetais. Promover hábitos de alimentação saudáveis é dureza. A maioria das pessoas percebe que deveria comer mais frutas e vegetais. Elas até dizem que *pretendem* comer mais frutas e vegetais. Mas, quando chega na hora de colocar esses alimentos no carrinho de compras ou no prato da refeição, de algum modo elas esquecem. Pensamos em utilizar os gatilhos para ajudá-las a lembrar.

Estudantes receberam vinte dólares para relatar o que comiam a cada dia no café da manhã, almoço e jantar no refeitório. Segunda-feira: uma tigela de cereal Frosted Flakes, duas porções de lasanha de peru com acompanhamento de salada e sanduíche de carne de porco com espinafre e batata frita. Terça-feira: iogurte com frutas e nozes, pizza de pepperoni com Sprite e pad thai de camarão.

No meio das duas semanas que designamos para o estudo, os estudantes foram solicitados a participar do que parecia um experimento não relacionado de um pesquisador diferente. Foram solicitados a fornecer feedback a respeito de um slogan de saúde pública dirigido a universitários. Só para garantir que se lembrassem do slogan, este foi mostrado mais de 20 vezes, impresso em diferentes cores e fontes.

Um grupo de estudantes viu o slogan "Viva saudavelmente, coma cinco frutas e vegetais diariamente". Outro grupo viu "A bandeja do refeitório deve conter invariavelmente cinco frutas e vegetais diariamente". Ambos os slogans incentivavam as pessoas a comer frutas e vegetais, mas o slogan da bandeja fazia isso usando um gatilho. Os estudantes moravam no campus, e muitos comiam em refeitórios que utilizavam bandejas. Assim, queríamos ver se podíamos incentivar um comportamento alimentar saudável usando a bandeja do refeitório para lembrar os estudantes do slogan.

Nossos estudantes não deram bola para o slogan da bandeja. Taxaram-no de "brega" e classificaram como 50% menos atraente que o slogan mais genérico do "viva saudavelmente". Além disso, quando indagados se o slogan influenciaria em seu consumo de frutas e vegetais, os estudantes que tinham visto o slogan da "bandeja" foram significativamente mais propensos a dizer não.

Mas, na hora do comportamento pra valer, os efeitos foram impressionantes. Os estudantes que tinham visto o slogan mais genérico do "viva saudavelmente" não mudaram seus hábitos alimentares. Mas os estudantes que tinham visto o slogan da "bandeja" e as usavam nas cantinas mudaram notavelmente o comportamento. As bandejas fizeram lembrar-se do slogan, e por consequência os estudantes comeram até 25% mais frutas e vegetais. O gatilho funcionou.

Ficamos muito animados com o resultado. Conseguir que universitários façam qualquer coisa – que dirá comer mais frutas e vegetais – é uma proeza impressionante.

Mas, quando um de nossos colegas ouviu sobre o estudo, indagou se os gatilhos teriam impacto em um comportamento ainda mais consequente: no voto.

Onde você votou na última eleição?

A maioria das pessoas responderá a essa pergunta com o nome de sua cidade ou estado. Evanston. Birmingham. Flórida. Nevada. Se solicitadas a explicar, poderiam acrescentar "perto do meu escritório" ou "em frente ao supermercado". Poucas seriam mais específicas. E por que haveriam de ser? Embora a geografia tenha clara importância na votação – a Costa Leste inclina-se para os democratas, ao passo que o Sul pende para os republicanos –, pouca gente acharia que o local exato onde se vota tem importância.

Mas tem.

Cientistas políticos geralmente presumem que o voto é baseado em preferências racionais e estáveis: as pessoas têm crenças essenciais e pesam custos e benefícios ao decidir como votar. Se nos importamos com o meio ambiente, votamos em candidatos que prometem proteger os recursos naturais. Se estamos preocupados com o sistema de saúde, apoiamos iniciativas para torná-lo mais acessível e disponível a um maior número de pessoas. Nesse modelo de comportamento eleitoral calculista e cognitivo, o tipo específico de prédio onde as pessoas depositam seu voto não afeta o comportamento.

Mas, à luz do que estávamos aprendendo sobre gatilhos, não estávamos tão certos disso. Nos Estados Unidos, a maioria das pessoas é designada a votar em um local de votação específico. Em geral são prédios públicos – bombeiros, tribunais ou escolas –, mas também podem ser igrejas, prédios comerciais particulares ou outros locais.

Diferentes lugares contêm diferentes gatilhos. Igrejas estão repletas de imagens religiosas, que podem lembrar a doutrina da igreja. Escolas estão cheias de armários, mesas e lousas, que podem fazer nos lembrar dos filhos ou de experiências educacionais passadas. E, uma vez que esses pensamentos sejam ativados, podem mudar o comportamento.

A votação em uma igreja poderia levar as pessoas a pensar de modo mais negativo sobre o aborto ou o casamento gay? A votação em uma escola poderia levar as pessoas a apoiarem o investimento em educação?

Para testar essa ideia, Marc Meredith, Christian Wheeler e eu captamos dados de cada local de votação da eleição geral do Arizona em 2000. Usamos o nome e endereço de cada local de urna para determinar se era uma igreja, escola ou algum outro tipo de prédio. Quarenta por cento das pessoas foram designadas para votar em igrejas, 26% em escolas, 10% em centros comunitários e o restante em uma mistura de prédios residenciais, campos de golfe e até parques de trailers.

A seguir examinamos se as pessoas votavam de maneira distinta em diferentes tipos de seções eleitorais. Em especial, enfocamos um projeto eleitoral que propunha o aumento do imposto sobre as vendas de 5% para 5,6% para se investir nas escolas públicas. A proposta fora debatida com ardor, com bons argumentos de ambos os lados. A maioria das pessoas apoia a educação, mas poucas gostam de pagar mais imposto. Era uma decisão difícil.

Se o lugar onde as pessoas votam não importasse, o percentual de apoio à iniciativa deveria ser o mesmo nas escolas e nos outros locais de votação.

Mas não foi. Mais de dez mil pessoas a mais votaram em favor da proposta de investimento escolar onde a seção eleitoral era uma escola. O local da votação teve impacto dramático no comportamento eleitoral.

E a proposta foi aprovada.

A diferença persistiu mesmo depois de controlarmos coisas como diferenças regionais nas preferências políticas e na demografia. Comparamos até dois grupos semelhantes de eleitores para checar nossas conclusões. Pessoas que moravam perto de escolas e foram designadas a votar em uma *versus* pessoas que moravam perto de escolas, mas foram designadas a votar em um tipo diferente de local de votação (como um prédio de bombeiros). Um percentual significativamente mais alto de pessoas que votaram em escolas foram a favor de aumentar o investimento escolar. O fato de que estavam *em* uma escola quando votaram ativou um comportamento mais favorável às escolas.

Uma diferença de dez mil votos em uma eleição estadual pode não parecer muita coisa. Mas foi mais do que suficiente para virar uma eleição apertada. Na eleição presidencial de 2000, a diferença entre George Bush e Al Gore ficou em menos de mil votos. Se mil votos são suficientes para decidir uma eleição, dez mil com certeza também. Os gatilhos importam.

Assim, como os gatilhos ajudam a decidir se produtos e ideias vão pegar?

EM BUSCA DE *FRIDAY* NA... SEXTA-FEIRA

Em 2011, Rebecca Black realizou um feito momentoso. A garota de 13 anos lançou o que muitos críticos taxaram de a pior canção de todos os tempos.

Nascida em 1997, Rebecca era uma menina quando lançou sua primeira canção completa. Mas estava longe de ser sua primeira incursão na música. Ela havia feito testes para shows, participado de acampamentos musicais de verão e cantava em público há alguns anos. Depois de ouvir falar de uma colega que havia recorrido a ajuda externa para sua carreira musical, os pais de Rebecca pagaram quatro mil dólares para a ARK Music Factory, um selo de Los Angeles, escrever uma canção para a filha deles cantar.

O resultado foi decididamente, bem, medonho. Intitulada *Friday*, tratava-se de uma música melosa e superproduzida sobre a vida adolescente e as alegrias do final de semana. A canção começa com ela levantando de manhã e se aprontando para ir à escola:

Sete horas, acordando de manhã,
Tenho que estar descansada, tenho que descer as escadas
Tenho que pegar minha tigela, tenho que comer cereal

A seguir ela se apressa até a parada do ônibus, vê os amigos passarem de carro e pondera sobre se sentar no banco da frente ou de trás. Finalmente, após todas essas decisões difíceis, ela chega ao refrão, uma ode à excitação pelos dois dias iminentes de liberdade:

É sexta-feira, é sexta-feira,
Tem que fazer festa na sexta-feira
Todo mundo esperando o final de semana, final de semana

No todo, a obra soa mais como o monólogo de pensamentos aleatórios que passam pela cabeça especialmente oca de uma adolescente do que com uma canção de verdade.

Todavia, essa canção foi um dos vídeos mais virais de 2011. Foi visto mais de 300 milhões de vezes no YouTube, e muitos outros milhões ouviram-na em outros canais.

Por quê? A canção é horrível, mas várias canções são horríveis. Então o que fez dessa um sucesso?

Olhe o número de buscas diárias por "Rebecca Black" no YouTube em março de 2011, logo após a canção ser lançada. Veja se observa um padrão.

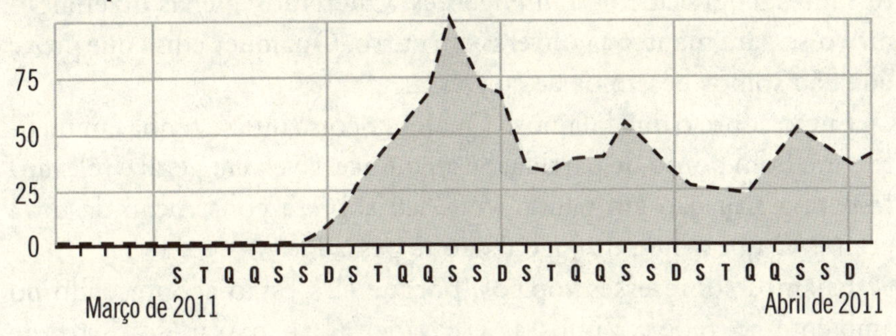

Percebe o pico uma vez por semana? Olhe com atenção e verá que o pico acontece no mesmo dia todas as semanas. Houve um em 18 de março, sete dias depois em 25 de março e sete dias adiante, em 1º de abril.

O dia específico da semana? Adivinhou. Sexta-feira – exatamente o nome da canção de Rebecca Black.

Assim, embora a canção fosse igualmente ruim em todos os dias da semana, a cada sexta-feira um forte gatilho contribuía para seu sucesso.

ATIVADO PARA FALAR

Conforme discutido no capítulo sobre Moeda Social, parte do boca a boca é motivado pelo desejo das pessoas de ficar bem perante os outros. Mencionar coisas inteligentes ou divertidas faz as pessoas parecerem mais inteligentes e divertidas. Mas esse não é o único fator que nos impele a compartilhar.

A maioria das conversas pode ser descrita como conversa fiada. Batemos papo com os pais nos jogos de futebol dos nossos filhos ou com os colegas de trabalho na sala do café. Essas conversas têm pouco a ver com encontrar coisas interessantes a dizer para causar boa impressão, elas visam preencher espaço de conversação. Não queremos ficar ali calados, então falamos sobre alguma coisa. Qualquer coisa. Nosso objetivo não é necessariamente provar que somos interessantes, engraçados ou inteligentes. Queremos apenas dizer alguma coisa para manter a conversa em curso. Qualquer coisa que prove que não somos péssimos de conversa.

Então sobre o que falamos? Qualquer coisa que se tenha em mente é um bom ponto de partida. Se algo é acessível, em geral é relevante para a situação em pauta. Você leu sobre a construção da nova ponte? O que achou do jogo da noite passada?

Falamos sobre esses tópicos, porque eles estão acontecendo no ambiente ao redor. Vimos as escavadeiras ao passar de carro, de modo que a construção está em nossa cabeça. Topamos com um amigo que gosta de esportes, daí pensamos no jogão. Os gatilhos estimulam o boca a boca.

Voltando aos dados da BzzAgent, os gatilhos ajudaram-nos a responder por que alguns produtos foram mais falados. Produtos com gatilhos mais frequentes tiveram 15% mais de boca a boca. Mesmo produtos banais como sacos Ziploc e cremes hidratantes renderam muito *buzz*, porque as pessoas foram incitadas a pensar neles com muita frequência. As pessoas que usam hidratante em geral aplicam-no pelo menos uma vez por dia. Muitos costumam usar sacos Ziploc depois das refeições para guardar as sobras. Essas atividades cotidianas tornam esses produtos mais *top of mind* e, por consequência, fazem com que sejam mais falados.

Além disso, produtos com gatilho não só têm mais boca a boca imediato, como conseguem mais boca a boca contínuo.

Dessa maneira, os sacos Ziploc são a antítese de eu ir dar aula vestido de pirata. A história do pirata é interessante, mas apenas hoje, amanhã já era. Os sacos Ziploc podem ser sem graça, mas são mencionados todas as semanas porque têm gatilhos frequentes. Ao agir como lembretes, os gatilhos não só fazem as pessoas falarem, como as mantêm falando. *Top of mind* significa na ponta da língua.

Assim, em vez de ir atrás apenas de uma mensagem cativante, considere o contexto. Pense se a mensagem será ativada pelo ambiente cotidiano do público-alvo. Ir em busca do interessante é nossa tendência de praxe. Seja concorrendo a presidente da turma ou vendendo refrigerante, achamos que slogans atraentes ou espertos vão nos levar aonde queremos.

Mas, como vimos com nosso estudo sobre frutas e vegetais, um gatilho forte pode ser muito mais eficiente que um slogan cativante. Embora tenham detestado o slogan, os universitários comeram mais frutas e vegetais quando as bandejas da cantina ativaram lembretes sobre os benefícios à saúde. Apenas ser exposto a um slogan esperto não mudou o comportamento.

A seguradora de automóveis GEICO veiculou anúncios dizendo que trocar para a GEICO era tão simples que até um homem das cavernas conseguiria fazê-lo. No âmbito da sagacidade os anúncios eram ótimos. Eram engraçados e acentuavam que mudar para GEICO era fácil.

Mas, a julgar pelos gatilhos, os anúncios falham. Não vemos muitos homens das cavernas em nosso dia a dia, de modo que é improvável que o anúncio venha à mente com frequência, o que o torna menos passível de ser comentado.

Compare isso com a campanha "*Wassup?*" ("E aí?") da cerveja Budweiser. Dois caras estão falando no telefone enquanto bebem a cerveja e assistem a um jogo de basquete na televisão. Chega um terceiro amigo. Ele grita: "E aí?" Isso deflagra um ciclo infindável de "e aí?" entre um número crescente de camaradas bebendo Budweiser.

Não, não era um comercial dos mais espertos. Mas tornou-se um fenômeno global. E pelo menos parte do sucesso deveu-se aos gatilhos. A Budweiser considerou o contexto. Na época, "e aí?" era uma saudação popular entre amigos. O simples fato de se cumprimentarem ativava pensamentos de Budweiser entre o público principal da cerveja.

Quanto mais o comportamento desejado ocorre depois de um tempo, mais importantes tornam-se os gatilhos. A pesquisa de mercado com frequência enfoca a reação imediata dos consumidores a uma mensagem ou campanha publicitária. Isso pode ser valioso em situações nas quais a chance de comprar o produto é oferecida ao consumidor imediatamente. Mas, na maioria dos casos, as pessoas ouvem um anúncio num dia e vão à loja dias ou semanas depois. Se não forem incitadas a pensar a respeito, como vão lembrar daquele anúncio quando estiverem na loja?

Campanhas de saúde pública também se beneficiaram ao considerar o contexto. Pense nas mensagens que incentivam os universitários a beber de modo responsável. Embora elas possam ser realmente espertas e convincentes, são postadas no centro de saúde do campus, longe dos ambientes de confraternização ou outros locais onde os estudantes de fato bebem. Assim, embora eles possam concordar com a mensagem quando a leem, a menos que sejam estimulados a pensar nela quando estão realmente bebendo, é improvável que ela mude o comportamento deles.

Os gatilhos lançam luz até nos casos em que o boca a boca negativo tem efeitos positivos. O economista Alan Sorensen, Scott Rasmussen e eu analisamos centenas de resenhas de livros do *New York Times* para ver como críticas negativas afetavam as vendas de livros.

Contrariando a noção de que qualquer publicidade é boa publicidade, as resenhas negativas prejudicaram as vendas de alguns livros. Mas, para livros de autores novos ou relativamente desconhecidos, as resenhas negativas aumentaram as vendas em 45%. Um livro chamado *Fierce People*, por exemplo, teve uma crítica terrível. O *Times* observou que o autor "não tem um olhar especialmente aguçado" e reclamou que "a mudança de tom é tão abrupta que a dissonância que ela cria é quase desagradável". Todavia as vendas mais do que quadruplicaram depois da resenha.

Os gatilhos explicam por quê. Mesmo uma resenha ruim ou um boca a boca negativo podem aumentar as vendas se informarem ou lembrarem as pessoas de que um produto ou ideia existe. Por isso um vinho de 60 dólares da Toscana viu as vendas aumentarem 5% após um site importante de vinhos descrevê-lo como "redolente de meias fedidas". É também um motivo pelo qual o Shake Weight, um haltere vibrante amplamente ridicularizado pela mídia e pelos consumidores, alcançou 50 milhões de dólares em vendas. Mesmo a atenção negativa pode ser útil, se torna os produtos e ideias *top of mind*.

KIT KAT E CAFÉ: AMPLIANDO O HABITAT

Um produto que usou gatilhos de maneira brilhante foi o Kit Kat.

"Give me a break, give me a break, break me off a piece of that Kit Kat bar!" Lançada nos Estados Unidos, em 1986, a música do Kit Kat é um dos jingles mais icônicos já produzidos. Cante as primeiras palavras para quase qualquer um com mais de 25 anos, e a pessoa sabe terminar a frase. Os pesquisadores até consideraram esse jingle um dos dez mais "earworms" – uma melodia que gruda na sua cabeça – de todos os tempos. Mais memorável até que *YMCA* (toma essa, Village People).

Em 2007, porém, Colleen Chorak foi encarregada de reavivar a marca Kit Kat. Nos mais de vinte anos desde o lançamento do jingle, a marca tinha perdido a força. A Hershey produz de tudo, de Reese's Pieces e Hershey's Kisses a Almond Joy, Twizzlers e Jolly Ranchers. Com essa enorme lista de diferentes itens, não é de surpreender que uma marca possa se perder. E era exatamente isso que havia acontecido com o Kit Kat. A Hershey havia vacilado ao substituir a campanha do "give me a break". As vendas estavam caindo cerca de 5% ao ano, e a marca havia encolhido de forma considerável. As pessoas ainda adoravam o produto, mas o interesse do consumidor estava lá embaixo.

Colleen precisava fazer os consumidores começarem a pensar na marca de novo, tornar o Kit Kat mais *top of mind*. E, dados os anos de novos rumos fracassados, a alta gerência não estava disposta a gastar dinheiro para colocar a marca na TV. Qualquer apoio financeiro seria no máximo modesto.

Então Colleen fez umas pesquisas. Examinou quando as pessoas de fato consumiam Kit Kat. Descobriu duas coisas: os consumidores com frequência comiam o chocolate em um intervalo, e muitos o combinando com uma bebida quente.

Ela teve uma ideia.

Kit Kat e café.

Colleen montou a campanha em questão de meses. Os spots de rádio apresentavam o doce, descrito como "o melhor amigo do intervalo", em cima de um balcão ao lado de uma xícara de café, ou alguém pegando um café e pedindo um Kit Kat. Kit Kat e café. Café e Kit Kat. Os spots juntaram os dois repetidamente.

A campanha foi um sucesso.

No final do ano, havia elevado as vendas em 8%. Depois de doze meses, elas estavam um terço maiores. Kit Kat e café colocaram o Kit Kat em cena outra vez. A marca de 300 milhões de dólares desde então cresceu para 500 milhões.

Muitas coisas com certeza contribuíram para o sucesso da campanha. Kit Kat e café fazem uma aliteração legal, e a ideia de fazer uma pausa e comer um Kit Kat combina bem com o conceito de intervalo para o café. Mas eu gostaria de acrescentar mais um motivo à lista.

Gatilhos. "Kit Kat e *cantaloupe*" (melão amarelo) também fazem aliteração, e break dancing também teria combinado com o conceito de break (intervalo). Mas café é uma coisa especialmente boa de ligar à marca porque é um estímulo *frequente* no ambiente. Um número enorme de pessoas tomam café. Muitas tomam várias vezes durante o dia. Assim, ao ligar o Kit Kat ao café, Colleen criou um gatilho recorrente para lembrar as pessoas da marca.

Os biólogos falam muito sobre animais e plantas terem habitats, ambientes naturais que contêm todos os elementos necessários para sustentar a vida de um organismo. Patos precisam de água e de grama para comer. Os veados proliferam em áreas que contenham espaços abertos para pastar.

Produtos e ideias também têm habitats, ou conjuntos de gatilhos que fazem as pessoas pensar neles.

Pense no cachorro-quente. Churrasqueiras, verão, jogos de beisebol e até mesmo cães salsichinha (dachshunds) são apenas alguns dos gatilhos que podem constituir o habitat dos cachorros-quentes.

Compare isso com o habitat da comida etíope. O que estimula as pessoas a pensar em comida etíope? Esta com certeza é deliciosa, mas seu habitat não é tão predominante.

A maioria dos produtos ou ideias tem uma série de gatilhos naturais. As barras Mars e o planeta Marte já estão naturalmente conectados. A companhia Mars não precisou fazer nada para criar o elo. De modo semelhante, a música francesa é um gatilho natural para vinho francês, e o último dia útil da semana, é um gatilho natural para a música *Friday*, de Rebecca Black.

Mas também é possível ampliar um habitat para uma ideia criando novos elos de estímulo no ambiente. O Kit Kat não seria normalmente associado ao café, mas, por meio do emparelhamento repetido, Colleen Chorak conseguiu ligar os dois. De modo semelhante, nosso experimento das bandejas criou um elo entre bandejas de refeitório e uma mensagem para se comer frutas e vegetais por meio do emparelhamento repetido das duas ideias. E, ao aumentar o habitat da mensagem, esses dois elos recém-formados ajudaram a fazer o comportamento desejado pegar.

Considere um experimento que conduzimos com a BzzAgent e o Boston Market. Esse restaurante *fast-casual* era mais conhecido pela *comfort food* de estilo caseiro (frango assado e purê de batatas) e era visto principalmente como local de almoço. A gerência queria gerar mais *buzz*. Pensamos que poderíamos ajudar ampliando o habitat do Boston Market.

Durante uma campanha de seis semanas, algumas pessoas foram expostas a mensagens que repetidamente emparelhavam o restaurante com jantar. “Pensando no jantar? Pense no Boston Market!”

Outras pessoas receberam uma campanha publicitária semelhante que continha uma mensagem mais genérica: "Pensando em um local para comer? Pense no Boston Market!". Então aferimos com que frequência os respectivos grupos falaram sobre o restaurante.

Os resultados foram dramáticos. Comparada com a mensagem genérica, a mensagem que ampliava o habitat (associando o Boston Market ao jantar) fez crescer o boca a boca em 20% entre as pessoas que antes associavam a marca apenas com almoço. O aumento do habitat impulsionou o *buzz*.

Até concorrentes podem ser usados como um gatilho.

Como organizações de saúde pública podem competir contra o poder de marketing de rivais mais financiados, como companhias de cigarro? Uma forma de combater a desigualdade é transformar uma fraqueza em força: fazer a mensagem do rival agir como um gatilho a seu favor.

Uma famosa campanha antifumo, por exemplo, imitou os anúncios icônicos do Marlboro legendando uma foto de um cowboy Marlboro dizendo as seguintes palavras para outro: "Bob, tenho enfisema." Agora, sempre que as pessoas veem um anúncio do cigarro, isso as incita a pensar na mensagem antifumo.

Os pesquisadores chamam essa estratégia de parasita venenoso porque ela injeta lentamente o "veneno" (sua mensagem) na mensagem do concorrente, tornando-a um gatilho a seu favor.

O QUE TORNA UM GATILHO EFICIENTE?

Os gatilhos podem ajudar produtos e ideias a pegar, mas alguns estímulos são gatilhos melhores que outros.

Conforme discutimos, um fator-chave é a *frequência* com que um estímulo ocorre. Chocolate quente também teria combinado realmente bem com Kit Kat, e a bebida doce poderia até complementar melhor o sabor da barra de chocolate que o café. Mas café é um gatilho mais eficiente porque as pessoas pensam nele e o veem com muito mais frequência. A maioria das pessoas só bebe chocolate quente no inverno, enquanto o café é consumido o ano todo.

De modo semelhante, na década de 1970 a Michelob fez uma campanha de sucesso ligando os finais de semana com a marca de cerveja ("Os finais de semana são feitos para a Michelob"). Entretanto, o slogan não era esse quando a campanha começou. Originalmente, o slogan era "Férias são feitas para a Michelob". Mas este mostrou-se ineficiente, porque o estímulo escolhido – férias – não acontece com tanta frequência. Assim, a Anheuser-Busch reformulou o slogan para "Finais de semana são feitos para a Michelob", que foi muito mais bem-sucedido.

Todavia a frequência também deve ser equilibrada com a *força* do elo. Quanto maior o número de coisas a que uma sugestão está associada, mais frágil é qualquer associação. É como fazer um furo no fundo de uma xícara de papel cheia d'água. Se você fizer só um furo, vai jorrar um fluxo forte de água. Porém, faça mais buracos, e a pressão do fluxo de cada abertura diminui. Faça furos em demasia, e você mal conseguirá uns pingos de cada um.

Os gatilhos funcionam do mesmo jeito. A cor vermelha, por exemplo, está associada a muitas coisas: rosas, amor, Coca-Cola e carros velozes, para citar apenas algumas. Em consequência de ser universal, não é um gatilho particularmente forte para nenhuma dessas ideias. Peça a diferentes pessoas para dizerem qual a primeira palavra que lhes vem à mente quando pensam em vermelho e você vai entender do que estou falando.

Compare com quantas pessoas pensam em "geleia" quando você diz "manteiga de amendoim", e ficará claro por que elos mais fortes e únicos são melhores. Ligar um produto ou ideia a um estímulo já associado a muitas coisas não é tão eficiente quanto forjar um elo mais novo, original.

Também é importante selecionar gatilhos que ocorram perto de onde o comportamento desejado tem lugar. Considere o seguinte anúncio de utilidade pública da Nova Zelândia, esperto, mas em última análise ineficaz. Um homem bonito e musculoso está tomando banho. Ao fundo você ouve um jingle cativante sobre Heat-Flow, um novo sistema de controle de temperatura que lhe garante água quente o bastante para longos banhos suntuosos. O homem fecha o chuveiro. Quando abre a porta do boxe, uma mulher atraente joga uma toalha para ele. Ele sorri. Ela sorri. Ele dá um passo para sair do chuveiro.

De repente, ele escorrega. Ao cair, bate a cabeça no chão de ladrilho. Enquanto está ali caído, imóvel, seu braço se contrai ligeiramente. Um locutor diz com entonação sombria: "Prevenir escorregões em sua casa pode ser tão fácil quanto usar um tapete de banho."

Uau. Definitivamente surpreendente. Extremamente memorável. Tão memorável que penso nisso cada vez que tomo banho em um banheiro que não tem tapete no chão.

Mas só tem um problema.

Não posso comprar um tapete no banheiro. A mensagem está fisicamente distante do comportamento desejado. A menos que eu saia do banheiro, ligue o laptop e compre um tapete on-line, tenho que me lembrar da mensagem até chegar em uma loja.

Compare com a campanha contra refrigerantes do Departamento de Saúde de Nova Iorque (DOH). Embora os refrigerantes possam ser vistos como um item de calorias relativamente baixas comparados com toda a comida que ingerimos ao longo de um dia, tomar bebidas adocicadas na verdade tem um grande impacto no aumento de peso. Mas o DOH não queria apenas dizer às pessoas quanto açúcar os refrigerantes têm, queria assegurar-se de que as pessoas se lembrariam de mudar seu comportamento e espalhariam as mensagens para outras.

Então o DOH fez um vídeo mostrando alguém abrindo o que parece uma lata normal de refrigerante. Mas, quando ele começa a servir a bebida em um copo, o que sai da lata é gordura. Gotas e mais gotas de gordura branca, densa. O cara pega o copo e sorve a gordura como faria com um refrigerante normal – engole os pedaços e tudo.

O clipe *Man Drinks Fat* termina com um enorme pedaço de gordura congelada sendo jogado em um prato. Ele goteja em cima da mesa enquanto uma mensagem pisca na tela: "Beber uma lata de refrigerante por dia pode deixá-lo 5 quilos mais gordo por ano. Não engorde bebendo."

O vídeo é inteligente. Mas, ao mostrar gordura saindo de uma lata, o DOH também acionou gatilhos muito bem. Ao contrário do anúncio do tapete de banheiro, o vídeo disparou a mensagem (não consuma bebidas adocicadas) na hora exata: quando as pessoas estão pensando em tomar um refrigerante.

CONSIDERE O CONTEXTO

Essas campanhas destacam o quanto é importante considerar o contexto: pensar no ambiente das pessoas que uma mensagem ou ideia quer ativar. Diferentes ambientes contêm estímulos diferentes. O Arizona é cercado de desertos. Na Flórida se vê muitas palmeiras. Por consequência, diferentes gatilhos serão mais ou menos eficientes dependendo de onde as pessoas vivem.

De modo semelhante, a efetividade do sanduíche de filé com queijo de cem dólares de que falamos na introdução depende da cidade onde ele é lançado.

Um sanduíche de cem dólares é de fato notável onde quer que você esteja. Mas a frequência com que as pessoas vão pensar a respeito depende da geografia. Em lugares onde as pessoas comem muitos sanduíches de filé com queijo (Filadélfia), as pessoas podem ser incitadas com mais frequência, mas em outros lugares (Chicago) nem tanto.

Mesmo dentro de uma determinada cidade ou região geográfica as pessoas experimentam gatilhos diferentes com base na hora do dia ou época do ano. Um estudo que conduzimos perto do Halloween, por exemplo, verificou que as pessoas estavam muito mais propensas a pensar em produtos com a cor laranja (tais como refrigerantes de laranja ou Reese's Pieces) na véspera do Halloween que uma semana depois. Antes do Halloween, todos os estímulos laranja no ambiente (abóboras e expositores cor de laranja) disparavam pensamentos sobre produtos cor de laranja. Mas, tão logo passou a festa, esses gatilhos desapareceram, e também os pensamentos sobre produtos cor de laranja. As pessoas foram pensar no Natal ou qualquer festa que viesse a seguir.

Assim, quando pensar sobre, digamos, como se lembrar de levar sua sacola de compras reutilizável para o mercado, pense no que pode incitá-lo na hora certa. Usar sacolas de compras reutilizáveis é como comer mais vegetais. Sabemos que devemos fazê-lo. Até mesmo queremos fazê-lo (a maioria de nós comprou as sacolas), mas, quando chega a hora de partir para a ação, esquecemos.

Então, no instante em que paramos no estacionamento do mercado, lembramos. Argh, esqueci minhas sacolas de compras reutilizáveis! Mas aí já é tarde demais. Estamos na loja, e as sacolas estão em casa, dentro do armário.

Não é por acaso que pensamos nas sacolas reutilizáveis no instante em que chegamos na loja. O mercado é um gatilho poderoso para as sacolas. Mas infelizmente o momento é ruim. Assim como o anúncio do tapete de banho do serviço de utilidade pública; a ideia vem à mente, mas na hora errada. Para resolver esse problema, precisamos ser lembrados de levar as sacolas no instante em que estamos saindo de casa.

Qual seria um bom gatilho nesse caso? Qualquer coisa que você tenha que levar para comprar mantimentos. Sua lista de compras, por exemplo, é ótima. Imagine se, cada vez que visse sua lista de compras, ela fizesse pensar nas sacolas reutilizáveis. Seria bem mais difícil deixar as sacolas em casa.

POR QUE O CHEERIOS RENDE MAIS BOCA A BOCA QUE O DISNEY WORLD

Para voltar ao exemplo com que iniciamos o capítulo, os gatilhos explicam por que o Cheerios rende mais boca a boca que o Disney World. É verdade que o Disney World é interessante e excitante. Para usar a linguagem de outro capítulo deste livro, possui alta Moeda Social e evoca muita Emoção (o próximo capítulo). Entretanto, o problema é que as pessoas não pensam nele com muita frequência. A maioria das pessoas não vai ao Disney World a menos que tenha filhos. Mesmo aquelas que vão não vão tão seguido. Uma vez por ano se tanto. E existem poucos gatilhos para lembrá-las da experiência depois que a excitação inicial se dissipa.

Mas centenas de milhares de pessoas comem Cheerios no café da manhã todos os dias. Além do mais, veem as caixas de cor laranja berrante cada vez que empurram os carrinhos de compra pelo corredor de cereais do supermercado. E esses gatilhos tornam o Cheerios mais acessível, aumentando a chance de que as pessoas falem sobre o produto.

O número de vezes que Cheerios e Disney são mencionados no Twitter ilustra isso muito bem. Os Cheerios são mencionados com mais frequência que o Disney World. Mas examine os dados com atenção e você verá um padrão certinho.

Menção ao Cheerios no Twitter

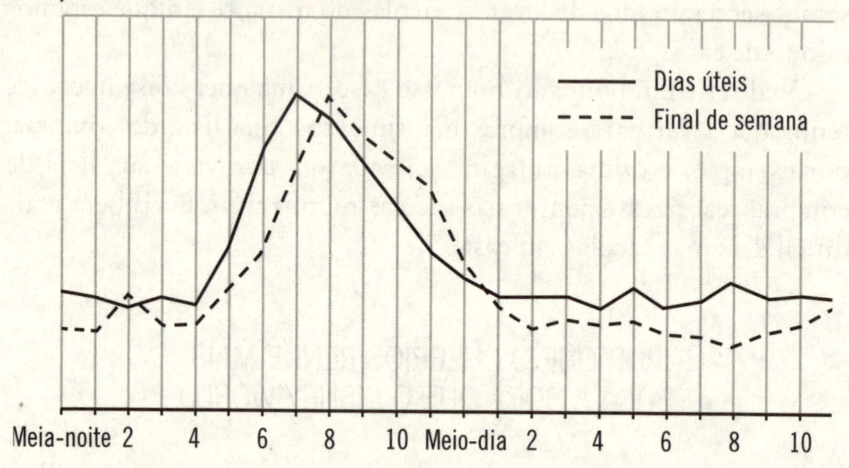

As menções ao Cheerios atingem o pico todos os dias aproximadamente no mesmo horário. As primeiras referências ocorrem às 5h. Chegam ao pico entre 7h30 e 8h. E diminuem por volta das 11h. Esse aumento abrupto e declínio correspondente alinham-se precisamente com o horário tradicional do café da manhã. O padrão até muda ligeiramente no final de semana, quando as pessoas tomam café mais tarde. Os gatilhos impulsionam a conversa.

Os gatilhos são a base do boca a boca e do contágio. Para usar uma analogia, pense na maioria das bandas de rock. A Moeda Social é o líder da banda. É excitante, divertido e atrai muita atenção. Os gatilhos podem ser o baterista ou baixista. Não é um conceito tão atraente quanto o de Moeda Social, mas é um burro de carga importante que faz o serviço. As pessoas podem não prestar muita atenção, mas ele assenta o alicerce que impulsiona o sucesso. Quanto mais uma coisa é ativada, mais ela virá à mente e mais bem-sucedida se tornará.

Desse modo, precisamos considerar o contexto. Como o "e aí?" da Budweiser, ou a *Friday* de Rebecca Black, nossos produtos e ideias precisam tirar vantagem de gatilhos existentes. Também precisamos expandir o habitat. Como o Kit Kat e café de Colleen Chorak, precisamos criar novos elos para gatilhos predominantes.

Gatilhos e sugestões levam pessoas a falar, escolher e usar. A Moeda Social faz as pessoas falarem, mas os Gatilhos mantêm-nas falando. *Top of mind* quer dizer na ponta da língua.

3. Emoção

Em 27 de outubro de 2008, Denise Grady já escrevia sobre ciência para o *New York Times* há mais de uma década. Com um bom olho para captar tópicos peculiares e uma narrativa ágil, Grady conquistou numerosos prêmios jornalísticos por tornar assuntos esotéricos acessíveis a leitores leigos.

Naquele dia, um dos artigos de Grady disparou na lista dos Mais Enviados por E-Mail do jornal. Em questão de horas, milhares de pessoas decidiram repassar o artigo para amigos, parentes e colegas de trabalho. Grady havia produzido um viral.

O artigo de Grady esmiuçava uma coisa chamada fotografia schlieren, na qual "uma pequena fonte de luz brilhante, lentes posicionadas de forma precisa, um espelho curvo, uma navalha que bloqueia parte do facho de luz e outras ferramentas possibilitam ver e fotografar perturbações no ar".

Soa bem pouco fascinante, certo? Junte-se ao clube. Quando perguntamos às pessoas o que elas achavam desse artigo em uma série de diferentes âmbitos, as avaliações foram bem baixas. Tinha muita Moeda Social? Não, elas disseram. Continha um monte de informação prática útil (algo que discutiremos no capítulo Valor Prático)? Não de novo.

De fato, se você repassar a lista de características tradicionalmente aceitas como pré-requisito de conteúdo viral, o artigo de Grady, intitulado "A tosse misteriosa capturada em filme", carece da maioria delas. Todavia, o texto de Grady com certeza tinha algo de especial ou tanta gente não teria pressionado a tecla do e-mail. O que era?

O interesse de Grady por ciência começou no ensino médio. Ela estava em uma aula de química quando leu sobre o famoso experimento de Robert Millikan para determinar a carga de um único elétron. Era uma ideia e um experimento complicado. O estudo envolvia suspender duas gotículas minúsculas de óleo entre dois eletrodos de metal, medindo a seguir quão forte tinha que ser o campo elétrico para impedir a queda das gotículas.

Grady leu aquilo várias vezes. De novo e de novo até finalmente entender. Mas, quando entendeu, foi como um raio. Ela sacou. Foi excitante. O pensamento por trás do experimento era tão sagaz, e entendê-lo era eletrizante. Ela se amarrou naquilo.

Depois dos estudos Grady foi trabalhar na revista *Physics Today*. Acabou conseguindo trabalhar na *Discover* e na revista *Time* e, por fim, chegou à editoria de saúde do *New York Times*. A meta de seus artigos foi sempre a mesma: dar às pessoas um pouquinho que fosse da excitação que ela havia sentido lá naquela aula de química, décadas atrás. Uma apreciação da magia da descoberta científica.

Em seu artigo daquele outubro, Grady descreveu como um professor de engenharia usava uma técnica de fotografia para capturar uma imagem visível de um fenômeno aparentemente invisível – a tosse humana. A técnica schlieren foi usada durante anos por especialistas da aeronáutica e militares para estudar como se formam as ondas de choque em torno de aeronaves de alta velocidade. Mas o professor de engenharia aplicou a técnica de uma nova maneira: para estudar de que forma infecções das vias aéreas, como tuberculose, síndrome respiratória aguda e gripe, se espalham.

Fazia sentido que a maioria das pessoas pensasse que o artigo não fosse particularmente útil. Afinal, não eram cientistas estudando a dinâmica dos fluidos. Tampouco engenheiros tentando visualizar fenômenos complexos.

Embora Grady seja uma das melhores escritoras de ciência por aí, faz sentido que a população em geral tenha a tendência de estar mais interessada em artigos sobre esportes ou moda. Por fim, embora tosse certamente possa ser um belo gatilho para lembrar as pessoas do artigo, a temporada de resfriados e gripe tende a chegar ao auge em fevereiro, quatro meses antes do artigo ser lançado.

Até Grady ficou intrigada. Como jornalista, ela fica encantada quando algo que escreve se torna um viral. E, como a maioria dos jornalistas, ou mesmo blogueiros casuais, ela adora entender por que alguns de seus textos são largamente compartilhados e outros não.

Mas, embora pudesse ter alguns palpites abalizados, nem ela nem ninguém sabia realmente por que um tipo de conteúdo é mais compartilhado que outro. O que tornou esse artigo específico tão viral?

Depois de anos de análise, fico feliz em informar que meus colegas e eu temos algumas respostas. A matéria de Grady de 2008 fez parte de um estudo de vários anos no qual analisamos milhares de artigos do *New York Times* para entender melhor por que certos textos do conteúdo on-line são amplamente compartilhados.

Uma pista provém da imagem que acompanhou a matéria de Grady. Anteriormente, naquele outubro, ela estava examinando uma edição do *New England Journal of Medicine* quando deparou com uma matéria intitulada "Tosse e aerossóis". Assim que viu a matéria, percebeu que a pesquisa seria a base perfeita para um artigo no *Times*. Parte da matéria era muito técnica, com discussão sobre infecções aerossóis e mapas de velocidade. Mas além de todo aquele jargão havia uma imagem simples, uma imagem que fez Grady decidir escrever o artigo.

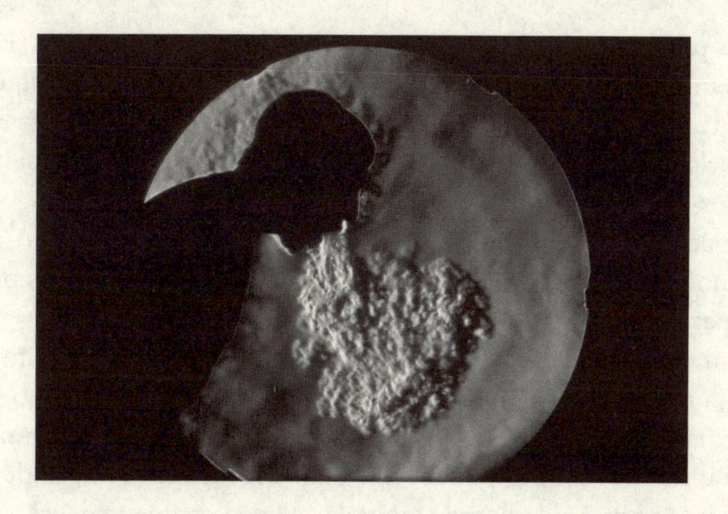

Em resumo, a foto era maravilhosa. O motivo pelo qual as pessoas compartilharam o artigo de Grady foi *emoção*. Quando nos importamos, nós compartilhamos.

AS LISTAS DOS MAIS ENVIADOS POR E-MAIL E A IMPORTÂNCIA DO COMPARTILHAMENTO

Humanos são animais sociais. Conforme discutido no capítulo sobre Moeda Social, as pessoas adoram compartilhar opiniões e informações com os outros. E nossa tendência a fofocar – para o bem e para o mal – molda nosso relacionamento com amigos e também colegas.

A internet tornou-se cada vez mais equipada para amparar essas inclinações naturais. Se as pessoas se deparam com um post em um blog sobre um novo programa de partilha de bicicletas ou encontram um vídeo que ajuda as crianças a resolver problemas difíceis de álgebra, podem facilmente apertar o botão Compartilhar ou copiar e colar o link em um e-mail.

A maioria dos websites de notícias ou entretenimento vai mais longe, documentando o que foi repassado com mais frequência. Listam quais artigos, vídeos e outros conteúdos foram mais visualizados ou compartilhados ao longo do dia, semana ou mês anterior.

As pessoas com frequência usam essas listas como atalhos. Existe conteúdo disponível em quantidade grande demais para se esquadrinhar tudo – centenas de milhões de websites e blogs, bilhões de vídeos. Só em notícias, dúzias de veículos respeitáveis produzem novos artigos continuamente.

Pouca gente tem tempo de procurar o melhor conteúdo nesse oceano de informação. Então começam conferindo o que os outros compartilharam.

Em consequência, as listas de mais compartilhados têm uma poderosa capacidade de moldar o discurso público. Se um artigo sobre reforma financeira chega à lista, enquanto outro sobre reforma ambiental fica de fora por pouco, essa pequena diferença inicial de interesse pode ser rapidamente ampliada. À medida que mais gente vê e compartilha o artigo sobre reforma financeira, os cidadãos podem ficar convencidos de que essa reforma merece mais atenção do governo que a ambiental, mesmo que o assunto financeiro seja ameno e a questão ambiental seja grave.

Então o que faz um conteúdo chegar à lista dos Mais Enviados por E-Mail e outro não?

Para algo tornar-se viral, um monte de gente tem que repassar o mesmo conteúdo mais ou menos na mesma época. Você poderia ter gostado do artigo de Denise Grady sobre a tosse e talvez compartilhado com uns amigos. Mas para a matéria chegar à lista dos Mais Enviados por E-Mail um enorme número de gente teria que tomar a mesma decisão que você.

Trata-se de algo simplesmente fortuito? Ou poderia haver alguns padrões subjacentes consistentes no sucesso viral?

ANÁLISE SISTEMÁTICA DA LISTA DOS MAIS ENVIADOS POR E-MAIL

A vida de um pós-graduado de Stanford está longe de grandiosa. Meu antigo escritório, se é que se podia chamar assim, era um cubículo de paredes altas. Ficava socado em um sótão sem janelas de um prédio dos anos 1960, cujo estilo arquitetônico com frequência é descrito como "brutalista". Em resumo, uma estrutura atarracada com paredes de concreto tão grossas que provavelmente poderiam resistir a um tiro direto de um pequeno lança-granadas. Éramos sessenta apinhados em um espaço atravancado, e meu boxe dez-por-dez com luz fluorescente era dividido com outro estudante.

O único ponto positivo era o elevador. Esperava-se que os pós-graduados trabalhassem em todas as horas do dia e da noite, de modo que a escola nos deu um cartão que garantia acesso 24 horas a um elevador especial. Ele não só nos levava a nossos postos de trabalho sem janelas como também dava acesso à biblioteca mesmo depois de fechada. Não era a regalia mais suntuosa, mas era útil.

Naquele tempo, a distribuição de conteúdo on-line não era tão sofisticada quanto hoje. Hoje em dia os sites de conteúdo postam on-line suas listas de Mais Enviados por E-Mail, mas alguns jornais também publicavam essas listas em suas edições impressas. Todo dia o *Wall Street Journal* publicava uma lista dos cinco artigos mais lidos e dos cinco Mais Enviados por E-Mail das notícias do dia anterior. Após esquadrinhar algumas dessas listas, fiquei encantado. Parecia a fonte de dados perfeita para estudar por que algumas coisas são mais compartilhadas que outras.

Então, da mesma forma que um colecionador de selos, comecei a colecionar a lista dos Mais Enviados por E-mail do *Journal*.

Uma vez a cada dois dias eu usava o elevador especial para ir à caça. Levava minhas fiéis tesouras para a biblioteca tarde da noite, achava a pilha das edições impressas mais recentes do *Journal* e cuidadosamente recortava as listas dos Mais Enviados por E-Mail.

Dentro de poucas semanas minha coleção havia crescido. Eu tinha uma grande pilha de novos recortes e estava pronto para começar. Coloquei as listas em uma planilha e comecei a procurar padrões. Certo dia, "Lidando com a zona morta: esposas cansadas demais de falar" e "Vestidos da Disney são para meninas crescidas" foram os dois artigos mais enviados por e-mail. Dias depois, "Um economista está qualificado a resolver o enigma do autismo?" e "Por que os observadores de aves agora levam iPods e canetas laser" estavam na lista.

Humm. À primeira vista, esses artigos compartilhavam de poucas características comuns. O que esposas cansadas têm a ver com os vestidos da Disney? E o que a Disney tem a ver com economistas estudando o autismo? As conexões não seriam óbvias.

Além do mais, ler um ou dois artigos de cada vez não iria resolver o caso. Para entender como era o processo, eu precisava trabalhar mais rápido e com mais eficiência.

Por sorte minha colega Katherine Milkman sugeriu um método muitíssimo aprimorado. Em vez de arrancar à mão essa informação do jornal impresso, por que não automatizar o processo?

Com o auxílio de um programador de computador, criamos um Webcrawler. Como um leitor incansável, o programa esquadrinhava a home page do *New York Times* automaticamente a cada 15 minutos, registrando o que tinha visto. Não só o texto e o título de cada artigo, mas também quem havia escrito e onde fora exibido (postado na tela principal ou escondido em uma trilha de links). Também registrava em que seção do jornal físico (saúde ou negócios, por exemplo) e em que página o artigo havia aparecido (como a primeira página ou a contracapa da terceira seção).

Depois de seis meses tínhamos um enorme conjunto de dados – cada artigo publicado pelo *New York Times* ao longo daquele período. Quase sete mil artigos. Tudo, de notícias internacionais e esportes a saúde e tecnologia, bem como quais artigos tinham figurado na lista dos Mais Enviados por E-Mail ao longo daqueles seis meses.

Não só o que uma pessoa havia compartilhado, mas uma aferição do que todos os leitores, independentemente de idade, renda ou outros aspectos do perfil demográfico, estavam compartilhando com os outros.

Agora nossa análise podia começar.

Primeiro, olhamos o tópico geral de cada artigo. Coisas como saúde, esportes, educação ou política.

Os resultados mostraram que era mais provável artigos sobre educação chegarem à lista dos Mais Enviados por E-Mail do que artigos sobre esportes. Matérias sobre saúde eram mais virais que as sobre política.

Bom. Mas estávamos mais interessados em entender o que leva ao compartilhamento do que simplesmente descrever os atributos do conteúdo que se partilha. Ok, então artigos sobre esportes são menos virais que aqueles sobre jantar. Mas por quê? É como dizer que as pessoas gostam de compartilhar fotos de gatos ou falam mais sobre paintball do que pingue-pongue. Na verdade, isso não nos diz muita coisa sobre por que isso acontece nem nos permite fazer previsões além dos domínios estreitos de porque as coisas sobre gatos a esportes começam com a letra "p".

Dois motivos pelos quais as pessoas podem compartilhar coisas são: por acharem interessante ou útil. Conforme discutimos no capítulo sobre Moeda Social, coisas interessantes são divertidas e refletem de maneira positiva a pessoa que as compartilha. De modo semelhante, conforme discutiremos no capítulo sobre Valor Prático, compartilhar informação útil ajuda os outros e, no processo, rende uma boa imagem a quem fez isso.

Para testar essas teorias, contratamos um pequeno exército de assistentes de pesquisa para avaliar os artigos do *New York Times* em termos de informação útil e do quanto eram interessantes. Artigos sobre como o Google usa dados de busca para rastrear a disseminação da gripe foram avaliados como altamente interessantes, ao passo que um artigo sobre a mudança no elenco de uma peça da Broadway foi avaliado como menos interessante. Artigos sobre como controlar seu perfil de crédito foram avaliados como muito úteis, ao passo que o obituário de uma cantora obscura de ópera foi avaliado como inútil. Inserimos esses escores em um programa de análise estatística que os comparou com as listas dos Mais Enviados por E-Mail.

Conforme o esperado, ambas as características influenciaram o compartilhamento. Artigos mais interessantes tinham probabilidade 25% maior de entrar na lista dos Mais Enviados por E-Mail. Artigos mais úteis tinham probabilidade 30% maior de entrar na lista.

Esses resultados ajudaram a explicar por que artigos sobre saúde e educação eram altamente compartilhados. Artigos sobre esses tópicos com frequência são bastante úteis. Conselhos sobre como viver mais e ser mais feliz. Dicas para conseguir a melhor educação para nossos filhos.

Mas ainda havia um tópico que se destacava como a pedra no sapato: artigos de ciência. Na maior parte, esses artigos não têm tanta Moeda Social ou Valor Prático como artigos de seções mais convencionais. Todavia, artigos de ciência, como a matéria de Denise Grady sobre a tosse, figuravam mais na lista dos Mais Enviados por E-Mail que notícias sobre política, moda ou negócios. Por quê?

A questão é que os artigos de ciência frequentemente relatam inovações e descobertas que evocam uma emoção particular nos leitores. Que emoção? Assombro.

O PODER DO ASSOMBRO

Imagine-se parado bem na beira do Grand Canyon. A fenda vermelho-sangue estende-se por todo alcance de sua vista em todas as direções. Debaixo de seus pés, em uma queda íngreme, o leito do canyon. Você se sente zonzo e recua da beirada. Falcões circulam por fendas tão áridas e destituídas de vegetação que você bem poderia estar na lua. Você está deslumbrado, se sente minúsculo. Você se sente enlevado. Isso é assombro.

De acordo com os psicólogos Dacher Keltner e Jonathan Haidt, assombro é a sensação de maravilhamento e deslumbramento que ocorre quando alguém é inspirado por grande conhecimento, beleza, sublimidade ou poderio. É a experiência de se confrontar com algo maior do que você mesmo. O assombro expande o âmbito de referência do indivíduo e impulsiona a autotranscendência. Abrange admiração e inspiração, e pode ser evocado por tudo, de grandes obras de arte ou música a transformações religiosas, de paisagens naturais de tirar o fôlego a proezas humanas de audácia e descoberta.

O assombro é uma emoção complexa e com frequência envolve um senso de surpresa: inesperado ou o mistério. De fato, como Albert Einstein notou: "A mais bela emoção que podemos experimentar é o mistério. É o poder de toda arte e ciência verdadeiras. Aquele para quem a emoção é uma estranha, que não consegue mais parar para se maravilhar e se extasiar em assombro, está quase morto".

Mais do que qualquer outra emoção, assombro descreveu o que muitos leitores sentiram após olhar as matérias de ciência do *New York Times*. A foto da tosse em "A tosse misteriosa capturada em filme" era assombrosa tanto como espetáculo visual, quanto como ideia – de que algo trivial como uma tosse pudesse produzir aquela imagem e entregar segredos capazes de solucionar mistérios médicos centenários.

Decidimos testar se o assombro leva as pessoas a compartilhar. Nossos assistentes de pesquisa foram lá de novo e avaliaram os artigos baseados no espanto que evocaram. Artigos sobre um novo tratamento para a Aids ou um goleiro de hockey que joga apesar de ter câncer no cérebro evocaram muito assombro. Artigos sobre ofertas natalinas, no entanto, evocaram pouco ou nenhum assombro. A seguir, usamos a análise estatística para comparar essas avaliações com a quantidade de compartilhamento dos artigos.

Nossa intuição estava certa: o assombro estimulava o compartilhamento.

Artigos que inspiravam assombro tinham probabilidade 30% maior de chegar à lista dos Mais Enviados por E-Mail; os que anteriormente se julgava terem baixa Moeda Social e Valor Prático – a matéria de Grady sobre tosse ou um artigo sugerindo que gorilas podem, como os humanos, lamentar-se quando perdem aqueles que amam – ainda assim chegaram à lista devido ao assombro que inspiraram.

Alguns dos vídeos mais virais da web também evocam assombro.

As risadinhas começaram assim que a mulher roliça e matronal adentrou o palco. Ela parecia mais uma merendeira que uma cantora. Primeiro, era velha demais para estar competindo no *Britain's Got Talent*. Com 47 anos, tinha mais que o dobro da idade de muitos outros concorrentes.

Mas o mais importante é que ela tinha um aspecto, bem, antiquado. Os outros competidores já estavam vestidos para ser a próxima sensação. Sexy, descolados ou com uma beleza agreste. Usavam vestidos colados, trajes sob medida e lenços de verão. Mas aquela mulher parecia mais um exemplo do que não vestir. Sua roupa parecia uma mistura de um velho conjunto de cortinas com um vestido de segunda mão perfeito para domingo de Páscoa.

E ela estava nervosa. Quando os jurados começaram a fazer perguntas, ela empacou e gaguejou. "Qual é o sonho?", perguntaram. Quando ela respondeu que queria ser cantora profissional, dava para imaginar os pensamentos que estavam passando pela cabeça deles. Essa é boa! Você? Cantora profissional? As câmeras focaram membros da plateia rindo e revirando os olhos. Até os jurados deram risadinhas. Era evidente que a queriam fora do palco o mais rápido possível. Todos os sinais indicavam que ela faria uma apresentação horrível e seria prontamente escorraçada do show.

Mas, quando parecia que não podia ser pior, ela começou a cantar.

E o tempo parou.

Foi deslumbrante.

Quando os primeiros acordes de *I dreamed a dream*, de *Les Misérables*, flutuaram a partir dos alto-falantes, a voz primorosa de Susan Boyle brilhou como um farol. Tão bonita, tão poderosa que fez o cabelo da nuca arrepiar. Os jurados ficaram assombrados, a plateia gritava, e todo mundo irrompeu em um tremendo aplauso. Alguns começaram a chorar enquanto ouviam. A apresentação deixou as pessoas sem palavras.

A primeira aparição de Susan Boyle no *Britain's Got Talent* é um dos vídeos mais virais de todos os tempos. Em apenas nove dias, o clipe acumulou mais de cem milhões de visualizações.

É difícil assistir a esse vídeo e não ficar assombrado pela força e sentimento dela. Não é apenas comovente, causa assombro. E essa emoção incita as pessoas a passá-lo adiante.

QUALQUER EMOÇÃO ESTIMULA O COMPARTILHAMENTO?

Nossas descobertas iniciais do *New York Times* suscitaram outras perguntas. O que tem o assombro que faz as pessoas compartilharem? Outras emoções poderiam ter o mesmo efeito?

Existem motivos para se acreditar que experimentar qualquer tipo de emoção poderia incentivar as pessoas a compartilhar. Conversar com os outros com frequência melhora as experiências emocionais. Se somos promovidos, contar para os outros nos ajuda a celebrar. Se somos demitidos, contar para os outros nos ajuda a desabafar.

Compartilhar emoções também nos ajuda a conectar. Digamos que eu assista a um vídeo que realmente inspire assombro, como a apresentação de Susan Boyle. Se compartilho esse vídeo com um amigo, é provável que ele se sinta inspirado de forma semelhante. E o fato de que nós dois nos sentimos da mesma maneira ajuda a aprofundar nossa conexão social, realça nossas semelhanças e nos lembra do quanto temos em comum. Compartilhamento de emoção, portanto, é tipo uma cola social, conservando e fortalecendo relações. Mesmo que não estejamos no mesmo lugar, o fato de que nós dois nos sentimos da mesma maneira nos une.

Mas esses benefícios do compartilhamento de emoção não surgem apenas do assombro. Acontecem com todos os tipos de emoção. Se você envia para um colega de trabalho uma piada que faz vocês dois morrerem de rir, isso enfatiza sua conexão. Se você manda para um primo um artigo de opinião que deixa ambos furiosos, isso reforça o fato de que vocês compartilham das mesmas ideias.

Então *qualquer* tipo de conteúdo emocional teria maior probabilidade de ser compartilhado?

Para responder isso, pegamos outra emoção, a tristeza, e mergulhamos outra vez nos dados. Pedimos a nossos assistentes de pesquisa para avaliar cada artigo com base em quanta tristeza evocava. Artigos sobre coisas como alguém prestando homenagem à avó falecida foram avaliados como a evocação de uma grande dose de tristeza, ao passo que artigos sobre coisas como um golfista campeão foram avaliados como pouco tristes. Se qualquer emoção incentivasse o compartilhamento, a tristeza – assim como o assombro – também deveria aumentar o compartilhamento.

Mas não aumentou. De fato, teve o efeito contrário. Artigos mais tristes na verdade tinham probabilidade 16% *menor* de chegar à lista dos Mais Enviados por E-Mail. Alguma coisa na tristeza deixava as pessoas menos propensas a compartilhar. O quê?

A diferença mais óbvia entre emoções diferentes é sua agradabilidade ou positividade. Assombro é relativamente agradável, ao contrário da tristeza, que é desagradável. Poderiam as emoções positivas aumentar o compartilhamento e as negativas diminuí-lo?

Especula-se há tempo como as emoções positivas e negativas influenciam o que se conversa e se compartilha. A sabedoria convencional sugere que conteúdo negativo deveria ser mais viral. Considere o velho ditado: "Se sangra, manda." Essa frase baseia-se na noção de que notícias ruins geram mais atenção e interesse que notícias boas. É por isso que os noticiários da noite sempre começam com algo do tipo: “Perigo oculto para a saúde à espreita no seu porão. Saiba mais a seguir, no jornal das seis.” Editores e produtores acreditam que histórias negativas ajudam a manter e atrair a atenção dos espectadores.

Isso posto, você também poderia argumentar o contrário: que as pessoas preferem compartilhar notícias boas. Afinal de contas, a maioria de nós não quer fazer com que os outros sintam-se felizes ou positivos em vez de ansiosos ou tristes? De modo semelhante, conforme discutimos no capítulo sobre Moeda Social, o fato de as pessoas compartilharem alguma coisa com frequência depende da impressão que isso causa nos outros. Coisas positivas podem ser mais compartilhadas, porque refletem positivamente sobre a pessoa que compartilha. Afinal, ninguém quer ser Debbie Downer, sempre compartilhando coisas tristes e sombrias.

Então como é que fica? Informação positiva tem maior probabilidade de ser compartilhada que a negativa ou vice-versa?

Voltamos ao nosso banco de dados e aferimos a positividade de cada artigo. Dessa vez usamos um programa de análise de texto desenvolvido pelo psicólogo Jamie Pennebaker. O programa quantifica a positividade e a negatividade em uma passagem de texto contando o número de vezes que centenas de diferentes palavras emocionais aparecem. A frase: “Eu adorei o cartão, foi tão gentil da parte dela”, por exemplo, é relativamente positiva, pois contém palavras como “adorar” e “gentil”. A frase: “Aquilo foi tão desagradável da parte dela, realmente feriu meus sentimentos”, por outro lado, é relativamente negativa devido a palavras como “ferir” e “desagradável”. Avaliamos cada artigo com base na positividade ou negatividade e então examinamos como isso se relaciona com entrar na lista dos Mais Enviados por E-Mail.

A resposta foi conclusiva: artigos positivos tinham maior probabilidade de serem altamente compartilhados do que os negativos. Histórias sobre coisas como recém-chegados que se apaixonam por Nova Iorque tinham em média probabilidade 13% maior de chegar à lista dos Mais Enviados por E-Mail do que matérias narrando coisas como a morte de um conhecido guarda do jardim zoológico.

Finalmente estávamos nos sentindo confiantes a respeito de ter entendido como as emoções moldam a transmissão. Parecia que as pessoas compartilhavam coisas positivas e evitavam fazer o mesmo com as negativas.

Mas, só para garantir que estávamos certos a respeito de emoções negativas diminuírem o compartilhamento, demos uma tarefa final a nossos assistentes de pesquisa. Pedimos para que avaliassem cada artigo em duas outras emoções negativas principais: raiva e ansiedade.

Artigos sobre coisas como os grandões de Wall Street ganhando bônus polpudos durante a recessão econômica incitaram um monte de raiva, enquanto artigos sobre tópicos como camisetas de verão não evocaram raiva alguma. Artigos sobre coisas como a derrocada do mercado de ações deixavam as pessoas deveras ansiosas, enquanto artigos sobre coisas como os indicados para o Emmy Awards não evocavam ansiedade. Se fosse verdade que as pessoas compartilham conteúdo positivo e evitam o negativo, então raiva e ansiedade deveriam, como a tristeza, reduzir o compartilhamento.

Mas não era o caso. De fato, era bem o contrário. Artigos que evocavam raiva ou ansiedade tinham *mais* probabilidade de entrar na lista dos Mais Enviados por E-Mail.

Então ficamos realmente confusos. Claro que algo mais complicado que o artigo ser positivo ou negativo determinava o quanto as coisas eram compartilhadas. Mas o quê?

ACENDENDO O FOGO: A CIÊNCIA DA EXCITAÇÃO FISIOLÓGICA

A ideia de que as emoções podem ser categorizadas como positivas e agradáveis e negativas e desagradáveis existe há centenas, senão milhares, de anos. Até uma criança sabe dizer que alegria e excitação é bom, e ansiedade ou tristeza é ruim.

Mais recentemente, porém, os psicólogos têm argumentado que as emoções também podem ser classificadas com base em uma segunda dimensão – a da ativação, ou excitação fisiológica.

O que é excitação fisiológica? Pense sobre a última vez em que você falou diante de uma grande plateia. Ou quando seu time estava prestes a vencer um jogo muito importante. Seu pulso disparou, as palmas das mãos ficaram suadas, e você pôde sentir o coração martelando dentro do peito. Você pode ter tido sensações semelhantes da última vez que viu um filme de terror ou foi acampar e ouviu um ruído estranho do lado de fora da barraca. Embora sua mente ficasse dizendo que você não estava realmente em perigo, seu corpo estava convencido do contrário. Todos os sentidos estavam exacerbados. Os músculos se retesaram, e você ficou alerta a todo som, odor e movimento. Isso é excitação.

Trata-se de um estado de ativação e prontidão para a ação. O coração bate mais rápido, e a pressão do sangue sobe. Em termos evolutivos, isso vem do cérebro reptiliano de nossos ancestrais. A excitação fisiológica motiva uma reação de lutar ou de fugir que ajuda os organismos a caçar comida ou escapar de predadores.

Não precisamos mais caçar nosso jantar, nem nos preocuparmos em ser devorados, mas a ativação proporcionada pela excitação ainda facilita uma miríade de ações cotidianas. Quando excitados, fazemos coisas. Esfregamos as mãos e andamos de um lado para outro. Damos socos no ar e corremos pela sala. A excitação acende o fogo que impulsiona a ação.

Algumas emoções, como raiva ou ansiedade, são de alta excitação. Quando estamos com raiva, gritamos com os funcionários do atendimento ao cliente. Quando estamos ansiosos, checamos várias vezes as coisas. Emoções positivas também geram excitação. Por exemplo, a animação. Quando nos sentimos animados, queremos fazer alguma coisa em vez de ficar parados. O mesmo é válido para o assombro. Quando tomados por ele, não conseguimos deixar de querer contar às pessoas o que aconteceu.

Outras emoções, entretanto, têm efeito contrário: elas sufocam a ação.

Veja a tristeza. Seja lidando com uma separação difícil ou a morte de um animal de estimação muito querido, pessoas tristes tendem a se desligar. Vestem roupas confortáveis, aninham-se no sofá e comem uma tigela de sorvete. O contentamento também desativa. Quando as pessoas estão satisfeitas, elas relaxam. A frequência cardíaca diminui, e a pressão sanguínea baixa. Elas estão felizes, mas não se sentem particularmente a fim de *fazer* qualquer coisa. Pense em como você se sente após um longo banho quente ou uma massagem relaxante. Você fica mais propenso a relaxar e ficar parado do que pular para outra atividade.

	ALTA EXCITAÇÃO	BAIXA EXCITAÇÃO
POSITIVA	Assombro Animação Divertimento (Humor)	Contentamento
NEGATIVA	Raiva Ansiedade	Tristeza

Ao percebermos o importante papel que a excitação emocional poderia desempenhar, voltamos aos nossos dados. Apenas para recapitular: até então havíamos verificado que o assombro aumentava o compartilhamento e que a tristeza o diminuía. Mas em vez de uma simples questão de emoções positivas aumentarem o compartilhamento e de negativas o diminuirem, verificamos que algumas destas, como raiva ou ansiedade, na verdade aumentavam o compartilhamento. Seria a excitação emocional a chave para o enigma?

Era.

O entendimento da excitação ajudou a integrar os diferentes resultados que havíamos encontrado até então. Raiva e ansiedade levam as pessoas a compartilhar porque, como o assombro, são emoções de alta excitação. Acendem o fogo, ativam as pessoas e as impelem a agir.

A excitação também é um motivo para o compartilhamento de coisas engraçadas. Vídeos sobre as sequelas de um garoto anestesiado pelo dentista ("*David After Dentist*"), um bebê mordendo o dedo do irmão ("*Charlie Bit My Finger – Again!*"), ou um unicórnio que vai para Candy Mountain e tem o rim roubado ("*Charlie the Unicorn*") são alguns dos vídeos mais populares do YouTube. Somados, foram vistos mais de 600 milhões de vezes.

Embora seja tentador dizer que essas coisas tornaram-se virais apenas porque são engraçadas, um processo mais fundamental está em operação. Pense na última vez em que você ouviu uma piada realmente hilariante ou quando lhe encaminharam um clipe humorístico e você se sentiu impelido a passar adiante. Assim como coisas inspiradoras, ou como aquelas que nos deixam furiosos, o conteúdo engraçado é compartilhado porque o divertimento é uma emoção de alta excitação.

Entretanto, emoções de baixa excitação, como a tristeza, reduzem o compartilhamento. O contentamento tem o mesmo efeito. Ele não é uma sensação ruim. Sentir-se contente é muito bom. Mas as pessoas ficam menos propensas a falar sobre, ou partilhar coisas que as deixam assim, porque o contentamento reduz a excitação.

A United Airlines aprendeu a duras penas que a excitação pode levar as pessoas a compartilhar. Dave Carroll era um músico muito bom. Seu grupo, Sons of Maxwell, não era um tremendo sucesso, mas, com a venda de álbuns, turnês e merchandising, ganhava o bastante para levar uma vida razoável. Ninguém estava tatuando o nome de Dave no braço, mas ele estava se saindo bem.

Ao viajar para um show em Nebraska, Dave e sua banda tiveram que fazer uma conexão em Chicago pela United Airlines. Já é bem difícil achar espaço no compartimento de bordo até para uma pequena bagagem de mão; para os músicos é ainda pior. O grupo de Dave não conseguiu acomodar as guitarras no compartimento e teve que despachá-las com o resto da bagagem.

Mas, quando estavam prestes a decolar do Aeroporto O'Hare, uma mulher gritou: "Meu deus, estão atirando as guitarras lá fora!". Dave olhou horrorizado pela janela a tempo de ver os carregadores de malas atirando rudemente os preciosos instrumentos pelos ares.

Ele levantou e implorou à comissária de bordo que a ajudasse, mas de nada adiantou. Ela lhe disse para falar com a chefe, mas esta disse que não era responsabilidade sua. Outro funcionário enrolou Dave e lhe disse para tratar do assunto com o agente em terra quando chegasse ao destino.

Quando Dave aterrissou em Omaha à 0h30, deparou com o aeroporto deserto. Não havia funcionários à vista.

Dave foi até a área de retirada de bagagem e abriu cuidadosamente o estojo da guitarra. Seus piores temores confirmaram-se. A guitarra de 3,5 mil dólares estava despedaçada.

Mas esse foi só o começo da história de Dave. Ele passou os nove meses seguintes negociando algum tipo de indenização da United Airlines. Apresentou queixa pedindo o conserto da guitarra, mas a solicitação foi negada. Na longa lista de justificativas, a United argumentou que não podia ajudar porque Dave havia perdido a exígua janela de 24 horas para reclamar danos, o que constava nas letras miúdas do bilhete aéreo.

Furioso com o tratamento dispensado a ele, Dave canalizou suas emoções da maneira que qualquer bom músico faria: escreveu uma canção a respeito. Ele descreveu a experiência, fez uma música e postou como um clipe curto no YouTube, intitulado "*United Breaks Guitars*".

Em 24 horas do upload do vídeo, Dave recebeu quase 500 comentários, a maioria de outros clientes furiosos da United que haviam passado por experiências semelhantes. Em menos de quatro dias, o vídeo somava mais de 1,3 milhão de visualizações. Em dez dias, mais de três milhões de visualizações e 14 mil comentários. Em dezembro de 2009, a revista *Time* listou "*United Breaks Guitars*" como um dos 10 Vídeos Mais Virais de 2009.

A United parece ter sentido o efeito negativo quase que imediatamente. Em quatro dias do lançamento do vídeo, o preço de suas ações caiu 10% – o equivalente a 180 milhões de dólares. Embora a United por fim tenha doado três mil dólares para o Instituto de Jazz Thelonious Monk como um "gesto de boa vontade", muitos observadores da indústria acharam que a empresa sofreu um dano permanente como resultado do episódio.

FOCO NOS SENTIMENTOS

As mensagens de marketing tendem a focar na informação. Funcionários da saúde pública ressaltam como os adolescentes serão mais saudáveis se não fumarem e se comerem mais vegetais. As pessoas pensam que basta simplesmente expor os fatos de forma clara e concisa para que as coisas mudem. O público vai prestar atenção, ponderar sobre a informação e agir de acordo.

Mas muitas vezes não basta informação. A maioria dos adolescentes não fuma por achar que isso faz bem. E a maioria das pessoas que engolem um Big Mac, uma porção grande de batatas fritas e enxaguam tudo com uma Coca extragrande não estão alheias aos riscos para a saúde. De modo que uma informação adicional não vai fazer com que mudem o comportamento. Elas precisam de algo mais.

É aí que entra a emoção. Em vez de repisar os aspectos ou fatos, precisamos enfocar os sentimentos, isto é, as emoções subjacentes que motivam as pessoas a agir.

Alguns produtos ou ideias podem parecer mais adequados que outros para evocar emoções. Parece mais fácil entusiasmar as pessoas a respeito de um novo espaço descolado do que com gestão logística. Animais de estimação e bebês parecem se prestar mais a apelos emocionais do que as atividades bancárias ou estratégias financeiras sem fins lucrativos.

Mas qualquer produto ou serviço pode focar nos sentimentos, mesmo aqueles que não possuem nenhum gancho emocional óbvio.

Por exemplo, os mecanismos de busca on-line. Mecanismos de busca parecem um dos produtos menos emocionais que se poderia imaginar. As pessoas querem os resultados de busca mais exatos no menor tempo possível. E debaixo desses resultados há um emaranhado de tecnologias misturadas: peso do link, indexação e algoritmos de PageRank. Um produto difícil de incendiar as pessoas ou deixá-las lacrimejantes, certo?

Bem, o Google fez exatamente isso com a campanha *Parisian Love.*

Quando Anthony Cafaro graduou-se na Escola de Artes Visuais de Nova Iorque em 2009, não esperava tornar-se um googler. Ninguém das artes visuais tinha ido trabalhar no Google antes, e a companhia era conhecida como um lugar para técnicos, não designers. Porém, quando Cafaro soube que o Google estava entrevistando graduados em design gráfico, resolveu arriscar.

A entrevista foi um estouro. Ao final, os entrevistadores pareciam mais velhos amigos do que examinadores. Cafaro recusou uma montanha de ofertas de agências publicitárias tradicionais para entrar na recém-formada equipe de design do Google, chamada de Creative Lab.

Poucos meses depois, entretanto, Anthony percebeu que a abordagem do Creative Lab não estava exatamente alinhada ao éthos geral da companhia. Um design gráfico excelente é visceral. Como a arte, emociona as pessoas e evoca seus sentimentos mais íntimos. Mas o Google tinha a ver com analítica, não com emoções.

Em uma história conhecida, um designer certa vez sugeriu o uso de certo tom de azul para a barra de ferramentas baseado no apelo visual. Mas o gerente de produto resistiu ao uso da cor, pedindo ao designer para justificar a escolha com pesquisa quantitativa. No Google, cores não são apenas cores, são decisões matemáticas.

As mesmas questões vieram à tona em um dos primeiros projetos de Cafaro. Pediram ao Creative Lab para criar um conteúdo para ressaltar a funcionalidade da nova interface de busca do Google. Atrações como pesquisador de voos, corretor ortográfico e tradutor. Uma solução potencial era um pequeno tutorial sobre como melhorar as buscas. Um manual para diferentes funções. Outra era "O Google a Day", um jogo on-line de perguntas envolvendo o uso das ferramentas de busca para resolver enigmas complexos.

Cafaro gostou das duas ideias, mas sentiu que estava faltando alguma coisa. Emoção.

O Google tinha uma interface ótima e resultados de busca úteis, mas isso não faz você rir nem chorar. Uma demo mostraria como a interface funciona, mas só isso. Cafaro queria humanizá-la. Queria não só mostrar as ferramentas, mas também emocionar as pessoas. Construir uma conexão adicional.

Assim, junto com a equipe do Creative Lab, Cafaro desenvolveu um vídeo intitulado "*Parisian Love*". O clipe conta o desabrochar de uma história de amor usando buscas do Google que evoluem com o tempo. Nenhuma imagem de pessoas, nem mesmo vozes – apenas as frases inseridas na barra de busca e os resultados exibidos.

Começa quando um cara insere "estudo exterior Paris França" e clica em um dos primeiros resultados para saber mais. Mais adiante ele busca "cafés perto do Louvre" e faz um exame para encontrar algum de seu agrado. Ouve-se uma risada feminina ao fundo, e a entrada seguinte dele é traduzir "tu es très mignon", que ele logo aprende que significa "você é bem bonitinho" em francês. A seguir, ele rapidamente busca conselhos sobre como "impressionar uma garota francesa", lê o conselho e vai atrás de lojas de chocolate em Paris.

A música aumenta enquanto a trama se desenrola. Seguimos o pesquisador enquanto ele faz a transição da busca de conselhos para relacionamento a longa distância à procura de emprego em Paris. Vemos ele rastrear o horário de chegada de um voo, e a seguir buscar igrejas de Paris (acompanhado por sinos ao fundo). Por fim, com a música crescendo, vemos ele perguntando como montar um berço. O vídeo termina com uma mensagem simples: "Vá em busca".

Não dá para ver esse clipe sem ter o coração tocado. É romântico, alegre e inspirador, tudo ao mesmo tempo. Ainda sinto arrepios cada vez que o vejo, e assisti dezenas de vezes.

Quando o Creative Lab apresentou o clipe à equipe de marketing do Google Search, todo mundo adorou. A esposa do CEO do Google também. Todos queriam repassá-lo. De fato, o clipe se saiu tão bem internamente que o Google decidiu lançá-lo para o grande público. Ao enfocar os sentimentos, o Google transformou um anúncio normal em um sucesso viral.

Não é preciso um anúncio de agência caríssimo ou milhões de dólares em grupos de foco para fazer as pessoas sentirem emoções. Cafaro criou o clipe com quatro outros estudantes trazidos de programas de design do país. Em vez de simplesmente ressaltar a mais nova ferramenta mirabolante, a equipe de Cafaro lembrou às pessoas o que elas adoram no Google Search. Conforme disse um membro do Creative Lab: "Os melhores resultados não aparecem em um mecanismo de busca, mas na vida das pessoas." Falou e disse.

No livro *Made to Stick*, Chip e Dan Heath falam sobre o uso dos "Três Por Quês" para se encontrar o cerne emocional de uma ideia. Escreva por que você acha que as pessoas estão fazendo alguma coisa. A seguir pergunte: "Por que isso é importante?", três vezes. A cada vez, anote a resposta, e você perceberá que vai cada vez mais fundo para desvendar não só o cerne de uma ideia, mas a emoção por trás dela.

Examine a busca on-line. Por que a busca é importante? Porque as pessoas querem encontrar informações rapidamente.

Por que as pessoas querem fazer isso? Para que possam conseguir as respostas que estão procurando.

Por que querem essas respostas? Para que possam conectar-se com pessoas, atingir seus objetivos e realizar seus sonhos. Agora a coisa está começando a ficar mais emocional.

Quer que as pessoas falem sobre o aquecimento global e se unam para mudar isso? Não se limite a destacar o quão grave é o problema ou a listar estatísticas cruciais. Descubra como fazer com que elas se importem. Fale sobre a morte dos ursos polares e como a saúde das crianças será afetada.

ACENDENDO O FOGO COM EMOÇÕES DE ALTA EXCITAÇÃO

Ao tentar usar emoções para impulsionar o compartilhamento, lembre-se de selecionar as que acendem o fogo: escolha emoções de alta excitação que façam as pessoas agir.

Pelo lado positivo, anime ou inspire mostrando como as pessoas podem fazer a diferença. Pelo negativo, faça com que fiquem furiosas, não tristes. Certifique-se de que a história do urso polar vai deixá-las inflamadas.

Apenas acrescentar mais excitação a uma história ou anúncio pode ter um grande impacto na disposição das pessoas para compartilhar. Em um experimento, mudamos os detalhes de uma história para evocar mais raiva. Em outro, deixamos um anúncio mais engraçado.

Em ambos os casos, os resultados foram os mesmos. Mas raiva ou mais humor levaram a mais compartilhamento. Acrescentar essas emoções alavancou a transmissão porque aumentou a dose de excitação que a história ou anúncio evocou.

Emoções negativas também podem incitar as pessoas a falar e a compartilhar. As mensagens de marketing em geral tentam pintar produtos e ideias com as cores mais positivas possíveis. De lâminas de barbear a geladeiras, os anúncios tipicamente mostram consumidores sorridentes que exaltam os benefícios obtidos pelo uso do produto. O pessoal de marketing tende e evitar emoções negativas, com medo de que possam manchar a marca.

Mas, se usadas de forma correta, elas na verdade podem impulsionar o boca a boca.

A BMW acendeu o fogo lindamente com uma campanha em 2001. A montadora alemã criou uma série de filmes curtos para a internet, intitulada *The Hire*. Em vez dos típicos comerciais tudo-bem mostrando BMWs percorrendo várias estradas interioranas idílicas, os filmes eram crivados de sequestros, batidas do FBI e experiências de morte por um triz. Apesar de o medo e a ansiedade que evocam estarem longe de ser positivos, os clipes excitaram tanto os espectadores que a série alcançou mais de 11 milhões de visualizações em quatro meses. Ao longo do mesmo período, as vendas da BMW cresceram 12%.

Ou considere as mensagens de saúde pública. Com frequência é difícil dar um tom positivo quando se está tentando fazer com que as pessoas percebam que fumar causa câncer de pulmão, ou que a obesidade diminui a expectativa de vida em mais de três anos. Mas certos tipos de apelo emocional negativo podem ser mais eficientes que outros em fazer com que as pessoas espalhem o assunto.

Pense outra vez no anúncio do serviço público de saúde *"Man Drinks Fat"* de que falamos no capítulo sobre Gatilhos. Uma bolotona de gordura branca estatelando-se em um prato? Que nojo! Mas, como a repulsa é uma emoção altamente excitante, incentivou as pessoas a falar e a compartilhar o anúncio. Elaborar mensagens que deixam as pessoas ansiosas ou enojadas (alta excitação) em vez de tristes (baixa excitação) vai aumentar a transmissão. Emoções negativas, quando usadas de forma correta, podem ser um poderoso condutor de discussão.

E isso nos leva aos babywearing.

"BABYWEARING", BOICOTE E UM JORRO DE *BUZZ* RUIM

Dois mil e oito foi um ano de primeira. Primeira vez que a China sediou uma Olimpíada; primeira eleição de um afro-americano como presidente dos Estados Unidos; e uma de que você pode não ter tomado conhecimento: a primeira celebração inaugural da Semana Internacional do Babywearing.

A prática de carregar o bebê em um sling, ou carregador semelhante, existe há milhares de anos. Alguns especialistas chegaram a argumentar que a prática fortalece o vínculo materno, melhorando a saúde do bebê e da mãe. Mas, com a popularização dos carrinhos e outros artefatos, muitos pais deixaram essa prática de lado. Assim, em 2008, foi realizada uma celebração para conscientizar e incentivar as pessoas do mundo inteiro a rever os benefícios do babywearing.

A McNeil Consumer Healthcare, fabricante do analgésico Motrin, viu essa onda de interesse como uma oportunidade perfeita. Na época, o lema do Motrin era: "Sentimos sua dor." Assim, em uma tentativa de mostrar solidariedade com as mães, a companhia criou um anúncio centrado nas dores e desconfortos que as mães podem sentir por carregar os bebês em slings. O anúncio observava que, embora o babywearing pudesse ser ótimo para o bebê, talvez causasse uma enorme tensão na coluna, no pescoço e nos ombros da mãe.

A companhia estava tentando dar uma força. Queria mostrar que o Motrin entendia a dor da mamãe e estava ali para ajudar. Mas muitas das chamadas *mommy bloggers* viram a coisa de outro modo. A locução da mãe no anúncio sobre o babywearing dizia: "Me faz parecer uma mãe oficial 100%. Assim, se pareço cansada e maluca, as pessoas vão entender por quê."

Profundamente ofendidas em duas frentes – pela sugestão de que usavam os bebês em um modismo e que pareciam malucas –, as mães foram para seus blogs e contas no Twitter. A raiva se espalhou.

Em breve milhares de pessoas estavam envolvidas. "Um bebê nunca será um modismo. Que pensamento ultrajante!", gritou uma. Os posts multiplicaram-se. Muitos diziam que iriam boicotar a companhia. O assunto começou a bombar no Twitter, e o movimento foi acompanhado pelo *New York Times*, pela *Ad Age* e por uma tropa de outros veículos de comunicação. Logo, sete de cada dez buscas principais por "Motrin" e "dor de cabeça" no Google referiam-se ao desastre de marketing.

Finalmente, depois uma demora longa demais, o Motrin tirou o anúncio de seu website e emitiu um extenso pedido de desculpas.

A tecnologia facilitou a organização das pessoas em torno de um interesse ou objetivo comum. Ao permitir que as pessoas se conectem rápida e facilmente, a mídia social permite que indivíduos de mentalidade semelhante se encontrem, compartilhem informações e organizem planos de ação.

Essas tecnologias são particularmente úteis quando as pessoas vivem separadas ou estão às voltas com um delicado tema político ou social. Muita gente aponta a mídia social como catalisadora da Primavera Árabe, a onda de protesto contra o governo que irrompeu no mundo árabe e que, por fim, derrubou os governos da Tunísia e do Egito, entre outros.

Alguns desses movimentos sociais florescentes são positivos. Permitem que os cidadãos ergam-se contra ditaduras, ou ajudam adolescentes que sofrem intimidação a perceber que a vida vai melhorar.

Mas em outros casos os comentários e os movimentos são negativos por natureza. Rumores falsos podem começar a adquirir força. Fofoca maledicente pode circular e crescer. É possível prever quais surtos vão permanecer como comentários isolados e quais vão virar bolas de neve?

Parte da resposta remete à excitação fisiológica. Certos tipos de negatividade podem ter maior probabilidade de se alastrar porque evocam excitação e, portanto, é mais provável que se tornem virais. Tiradas raivosas sobre mau atendimento ao cliente ou rumores ansiosos sobre um novo plano de saúde que pode retirar muitos benefícios teriam mais possibilidade de circular do que manifestações de tristeza ou decepção.

Desse modo, professores e diretores deveriam ficar particularmente atentos a rumores nocivos que contenham um ímpeto excitante, pois é mais provável que sejam passados adiante. De modo semelhante, monitorando as conversas on-line o fabricante do Motrin poderia ter estancado o boicote antes dele começar. Procurando palavras como "irritado", "furioso" ou "louco" nos posts, tweets ou atualizações de status das pessoas, a empresa poderia ter se dirigido aos clientes insatisfeitos antes da raiva aumentar. Reverter essas emoções de alta excitação no princípio pode mitigar a negatividade antes que ela vire uma bola de neve.

EXERCÍCIO FAZ AS PESSOAS COMPARTILHAREM

Nossa odisseia emocional tem uma última parada.

Em Wharton, temos um laboratório comportamental que paga pessoas para que façam vários experimentos de psicologia e marketing. As tarefas com frequência envolvem clicar em quadradinhos em uma pesquisa on-line ou circular itens em uma folha de papel.

Porém, quando as pessoas chegaram para um de meus experimentos há alguns anos, em novembro, as instruções foram um pouco mais inusitadas.

Pedimos à metade dos participantes para ficarem sentados quietos em sua cadeira por 60 segundos e relaxar. Moleza.

A outra metade, contudo, foi solicitada a dar uma corridinha no lugar por um minuto. A despeito de estarem usando tênis ou scarpins, jeans ou slacks, foi solicitado que corressem no lugar por 60 segundos no meio do laboratório.

Ok. Certo. Está bem. Alguns participantes lançaram-nos um olhar intrigado quando fizemos o pedido, mas todos concordaram.

Depois de acabar, eles participaram do que pareceu um segundo experimento não relacionado. Foi dito a eles que os pesquisadores estavam interessados no que as pessoas compartilham com os outros e receberam um artigo recente do jornal da faculdade. Então, depois de ler, foi dada a opção de enviarem por e-mail para quem quisessem.

Na verdade, esse "estudo não relacionado" fazia parte de meu experimento inicial. Eu queria testar uma hipótese simples, mas intrigante. Àquela altura, sabíamos que conteúdo ou experiências emocionalmente excitantes tinham maior probabilidade de ser compartilhados. Mas eu me indagava se os efeitos da excitação poderiam ser ainda mais amplos que isso. Se a excitação induz o compartilhamento, então qualquer experiência fisiologicamente excitante incita as pessoas a compartilhar histórias e informação com os outros?

Correr no lugar proporcionou o teste perfeito. Correr não evoca emoção, mas também é fisiologicamente excitante. Faz a frequência cardíaca subir, eleva a pressão sanguínea etc. Assim, se uma excitação de qualquer tipo aumenta o compartilhamento, correr no lugar deveria levar as pessoas a compartilhar coisas com os outros – mesmo que as coisas que estivessem falando ou compartilhando não tivessem nada a ver com o motivo pelo qual estavam experimentando a excitação.

E aconteceu. Entre os estudantes instruídos a correr, 75% compartilharam o artigo – mais que o dobro dos estudantes que ficaram no grupo do "relaxamento". Portanto, qualquer tipo de excitação, seja de fontes emocionais ou físicas, e até devido à situação em si (em vez do conteúdo), pode aumentar a transmissão.

Entender que situações excitantes podem levar as pessoas a repassar coisas lançou luz sobre o chamado *oversharing*, o compartilhamento excessivo, quando indivíduos revelam mais do que deveriam. Já sentou ao lado de alguém no avião que não parava de partilhar o que pareciam detalhes extremamente pessoais de sua vida? Ou já se viu em uma conversa na qual mais tarde percebeu que talvez tivesse compartilhado mais do pretendia? Por que isso acontece?

Com certeza podemos nos sentir mais confortáveis do que pensávamos com alguém, ou talvez ter tomado umas margaritas a mais. Mas existe ainda um terceiro motivo. Se os fatores da situação acabam nos excitando fisiologicamente, podemos acabar compartilhando mais do que planejávamos.

Assim, tenha cuidado da próxima vez que você sair da linha, evitar um acidente de carro por um triz ou fizer uma viagem de avião com turbulência. Por ficar excitado em função dessas experiências, você pode compartilhar informações excessivas com os outros na sequência.

Essas ideias também sugerem que uma forma de gerar boca a boca é encontrar as pessoas quando elas já estão inflamadas. É provável que programas de TV empolgantes como *Deal or No Deal* ou séries policiais que produzem ansiedade, como *CSI*, deixem as pessoas mais excitadas do que documentários sobre personagens históricos. Esses programas devem render mais comentários sobre eles, é claro, mas a frequência cardíaca elevada que induzem também deve transbordar e deixar as pessoas mais propensas a falar sobre os comerciais que aparecem no intervalo. Os anúncios na academia podem provocar muita discussão simplesmente porque as pessoas já estão muito ligadas. Grupos de trabalho podem se beneficiar ao fazer caminhadas juntos porque isso vai encorajar as pessoas a compartilhar suas ideias e opiniões.

A mesma ideia é válida para conteúdo on-line. Certos websites, artigos de notícia ou vídeos do YouTube evocam mais excitação que outros. Blogs sobre mercados financeiros, artigos sobre clientelismo político e vídeos hilariantes têm maior probabilidade de estimular a excitação, o que, por sua vez, deve aumentar a transmissão de anúncios ou outro conteúdo que apareça naquelas páginas.

O momento do anúncio também é importante. Embora um programa possa ser excitante de modo geral, uma cena específica pode ser mais ativadora que outras. Em um programa policial, por exemplo, a ansiedade costuma chegar ao auge ali pela metade. Quando o crime é resolvido no final, toda a tensão se dissipa. Nos programas de competição, a animação – e, portanto, a excitação – é mais alta quando os competidores estão prestes a descobrir quanto ganharam. Podemos acabar falando mais sobre os anúncios que aparecem perto desses momentos excitantes.

As emoções impelem as pessoas à ação. Nos fazem rir, gritar, chorar, falar, compartilhar e comprar. Assim, em vez de citar estatísticas ou fornecer informação, precisamos focar nos sentimentos. Conforme Anthony Cafaro, o designer que ajudou a desenvolver o vídeo *"Parisian Love"* no Google, observou:

> *Seja um produto digital como o Google, ou um produto físico como um tênis, você deve fazer alguma coisa que emocione as pessoas. Elas não querem sentir que estão sendo mandadas fazer alguma coisa – elas querem ser entretidas e se emocionar.*

Algumas emoções acendem o fogo mais que outras. Conforme discutimos, a sua ativação é a chave para a transmissão. Excitação, ou ativação fisiológica, leva os indivíduos a falar e compartilhar. Precisamos deixar as pessoas excitadas, ou fazê-las rir. Precisamos deixá-las furiosas em vez de tristes. Mesmo em situações em que as pessoas fiquem mais ativas podemos deixá-las mais propensas a repassar coisas para os outros.

Dinâmica dos fluidos e busca on-line parecem dois tópicos dos menos comoventes por aí. Mas, ao relacionar esses tópicos abstratos com a vida das pessoas e evocar emoções subjacentes, Denise Grady e Anthony Cafaro fizeram com que nos interessássemos – e compartilhássemos.

4. Público

Ken Segall era o braço direito de Steve Jobs. Por doze anos, Ken trabalhou como diretor de criação da agência de publicidade de Jobs. Ele pegou a conta da Apple no início dos anos 1980. Quando Jobs foi demitido e fundou a NeXT Computer, Ken foi junto para participar do projeto. Quando Jobs voltou para a Apple em 1997, Ken também voltou. Ele trabalhou na campanha "Think Different" ("Pense Diferente"), estava na equipe que desenvolveu o anúncio "Crazy Ones" ("Os Malucos") e deu início à iCraze chamando o desktop bulboso da Apple, um *all-in-one* com formato de ovo, de iMac.

Naquele tempo, a equipe de Ken encontrava-se com Jobs uma vez a cada duas semanas. Era uma espécie de reunião de acompanhamento. A equipe de Ken compartilhava tudo em que estava trabalhando em termos de publicidade: ideias promissoras, novas versões e layouts potenciais. Jobs fazia o mesmo. Ele atualizava a equipe de Ken sobre o que a Apple estava fazendo, quais produtos estavam vendendo e se havia alguma novidade a caminho que precisaria de uma campanha.

Em uma semana, Jobs abordou a equipe de Ken com uma charada. Jobs estava obcecado por uma melhor experiência possível para o usuário. Ele sempre colocou o cliente em primeiro lugar. Os clientes desembolsavam todo aquele dinheiro; eles tinham que ser bem-tratados. Então, a Apple aplicou esse mantra a todos os aspectos do design de produtos. Da abertura da embalagem ao telefonema para o suporte técnico. Você alguma vez reparou na lentidão quando retira pela primeira vez a tampa da caixa do seu iPhone novo? É porque a Apple deu duro projetando uma experiência que proporcionasse a sensação perfeita de luxo e esforço.

A charada referia-se ao design do novo PowerBook G4. O laptop seria uma maravilha da tecnologia e do design. O corpo de titânio era revolucionário – mais resistente que o aço e todavia mais leve que o alumínio. E, com menos de 2,5 centímetros de espessura, seria um dos mais delgados laptops já feitos.

Mas Jobs não estava preocupado com a resistência ou o peso do laptop, mas com a direção do logo.

A tampa dos laptops PowerBook sempre teve uma pequena maçã mordida do lado externo. Em harmonia com o foco do usuário, a Apple queria que o logo aparecesse na posição correta para o dono do computador. Isso era especialmente importante dada a frequência com que os laptops são abertos e fechados. As pessoas enfiam o laptop na mochila ou na bolsa só para tirá-lo logo mais e começar a trabalhar. E, quando o tiram, é difícil saber qual é o lado. Qual lado tem a abertura e deve ficar à sua frente quando você acomoda o laptop em uma escrivaninha ou mesa?

Jobs queria que essa experiência fosse tão fluida quanto possível, por isso usava o logo como bússola. O logo ficava voltado para o usuário quando o computador estava fechado, de modo que o usuário pudesse orientar o laptop rapidamente quando o acomodava.

Mas o problema surgia quando as pessoas abriam o laptop. Uma vez que o usuário achava um lugar no café e sentava com seu macchiato, ele abria o computador para começar a trabalhar. E, ao abrir o computador, o logo ficava invertido. Para todo mundo em volta, o logo ficava de cabeça para baixo.

Jobs acreditava muito no poder da marca, e ver todos aqueles logos de cabeça para baixo não era uma grande sensação. Ele temia até que pudesse prejudicar a marca.

Assim, Jobs fez uma pergunta à equipe de Ken. O que era mais importante – ter o logo voltado para o cliente antes de que ele abrisse o PowerBook, ou fazer com que ficasse direito para o resto do mundo quando o laptop estivesse em uso?

Como você poderá ver da próxima vez que deparar com um laptop da Apple, Ken e Jobs inverteram suas crenças de longa data e viravam o logo. O motivo? A observação. Jobs percebeu que ver os outros fazer alguma coisa deixa as pessoas mais propensas a também fazer.

Mas a palavra-chave aqui é "visão". Se é difícil ver o que os outros estão fazendo, é difícil imitar. Tornar algo mais observável facilita a imitação. Portanto, um fator-chave para fazer um produto pegar é a *visibilidade pública*. Se algo é criado para aparecer, também o é para crescer.

A PSICOLOGIA DA IMITAÇÃO

Imagine que você está em uma cidade desconhecida. Está fora de casa em uma viagem de trabalho ou de férias com um amigo e, quando finalmente chega, dá entrada no hotel e toma uma ducha rápida, você está faminto. É hora de jantar.

Você quer ir a um lugar bom, mas não conhece bem a cidade. O recepcionista está ocupado, e você não quer gastar muito tempo lendo críticas na internet, de modo que decide encontrar um local nas redondezas.

Mas, quando vai para a rua movimentada, dá de cara com dezenas de opções. Um tailandês bonitinho com um toldo púrpura. Um bar de tapas de aspecto transado. Um bistrô italiano. Como você escolhe?

Se você é como a maioria das pessoas, provavelmente segue uma regra de ouro testada pelo tempo: procura um restaurante cheio de gente. Se pessoas estão a comer ali, é porque deve ser bom. Se o lugar está vazio, você provavelmente vai adiante.

Esse é apenas um exemplo de um fenômeno muito mais amplo. As pessoas com frequência imitam aqueles a seu redor. Vestem-se no mesmo estilo que os amigos, escolhem as entradas preferidas de outros clientes do restaurante e reutilizam mais as toalhas do hotel quando pensam que os outros estão fazendo o mesmo. As pessoas ficam mais propensas a votar, se seus cônjuges votam, a parar de fumar, se seus amigos param, e a engordar, se seus amigos ficam obesos. Seja fazendo escolhas triviais como a marca de café a comprar ou decisões importantes como pagar impostos, as pessoas tendem a agir de acordo com o que os outros estão fazendo. Os programas de TV usam gravações de risadas por esse motivo: as pessoas ficam mais inclinadas a rir quando ouvem outras rindo.

As pessoas imitam em parte porque as escolhas dos outros proporcionam informação. Muitas decisões que tomamos diariamente são parecidas com escolher um restaurante em uma cidade desconhecida, ainda que com um pouco mais de informação. Qual é mesmo o garfo da salada? Que livro é bom para levar nas férias? Não sabemos a resposta certa e, mesmo que tenhamos alguma noção do que fazer, não temos certeza absoluta.

Assim, para reduzir nossa incerteza, com frequência olhamos o que os outros estão fazendo e vamos atrás. Presumimos que, se estão fazendo aquilo, é porque deve ser uma boa ideia. Elas provavelmente sabem de algo que nós não. Se nossos acompanhantes à mesa parecem usar o garfo menor para pegar a rúcula, fazemos o mesmo. Se muita gente parece estar lendo aquele novo suspense de John Grisham, nós o compramos para as próximas férias.

Os psicólogos chamam essa ideia de "validação social". É por isso que baristas e barmen ajeitam o jarro das gorjetas no começo de seu turno colocando várias notas de um dólar e quem sabe uma de cinco. Se o jarro de gorjetas estiver vazio, os clientes vão presumir que as outras pessoas não estão dando gorjeta e decidir não dar também. Agora, se o jarro das gorjetas já estiver até a borda de dinheiro, eles presumem que todo mundo deve estar dando gorjeta e, portanto, eles também devem dar.

A validação social desempenha um papel até mesmo em questões de vida e morte.

Imagine que um de seus rins falha. Seu corpo depende desse órgão para filtrar as toxinas e os resíduos do sangue; quando ele para de funcionar, o corpo inteiro sofre. O sódio aumenta, os ossos enfraquecem, e você fica a perigo de desenvolver anemia ou problema cardíaco. Se não tratado rapidamente, você morre.

Nos Estados Unidos, mais de quarenta mil pessoas apresentam doenças renais em estágio terminal todos os anos. Os rins falham por algum motivo, e elas têm duas opções: ou as demoradas idas e vindas ao centro de tratamento, três vezes por semana, para hemodiálises de quatro a cinco horas, ou conseguir um transplante de rim.

Contudo, não existem rins disponíveis para tal fim em quantidade suficiente. Hoje em dia, mais de cem mil pacientes estão na lista de espera; mais de novos quatro mil são acrescentados a cada mês. Não é de espantar que as pessoas na lista estejam ávidas para conseguir um rim.

Imagine que você esteja na lista. Ela é administrada por ordem de chegada, e os rins disponíveis são oferecidos primeiro às pessoas no topo da lista, que em geral estão esperando há mais tempo. Você está aguardando há meses. Está lá embaixo na lista, mas um dia finalmente lhe oferecem um rim potencialmente compatível. Você aceita, certo?

É claro que as pessoas que precisam de um rim para salvar a vida deveriam aceitar ao receber uma oferta. Mas surpreendentemente 97,1% das ofertas de rim são recusadas.

Pois então, muitas dessas recusas baseiam-se no fato do rim não ser compatível. Quanto a isso, um transplante de órgão é parecido com conserto de carro. Você não pode colocar um carburador Honda em uma BMW. É igual com o rim. Se o tecido ou tipo sanguíneo não for compatível, o órgão não vai funcionar.

Contudo, ao analisar centenas de doações de rim, a professora Juanjuan Zhang, do MIT, verificou que a validação social também leva as pessoas a recusar rins disponíveis. Digamos que você seja a centésima pessoa da lista. O rim teria sido oferecido antes à primeira pessoa da lista, depois à segunda e assim por diante. Então, para finalmente chegar a você, teria que ter sido recusado por outras 99 pessoas. É aí que entra em cena a validação social. Se tantos outros recusaram aquele rim, as pessoas presumem que ele não deve ser muito bom. Deduzem que é de baixa qualidade e ficam mais propensas a recusar. De fato, tais deduções levam uma a cada dez pessoas que recusam um rim a fazer isso erroneamente. Milhares de pacientes recusam rins que deveriam ter aceitado. Mesmo que as pessoas não possam comunicar-se diretamente com outras da lista, elas tomam decisões baseadas no comportamento das outras.

Fenômenos semelhantes acontecem o tempo todo.

Em Nova Iorque, a Halal Chicken and Gyro oferece pratos deliciosos de frango e cordeiro, arroz levemente temperado e pão pita. A revista *New York* elegeu-a como uma das vinte melhores carrocinhas de lanche da cidade, e as pessoas esperam mais de uma hora para pegar uma das gostosas e baratas refeições da Halal. Em certas horas do dia, a fila estende-se ao longo de todo o quarteirão.

Pois bem, eu sei o que você está pensando. As pessoas devem esperar tudo isso porque a comida é realmente boa. E você está certo em parte: a comida é muito boa.

Mas os mesmos proprietários operam uma carrocinha de lanches praticamente idêntica, chamada Halal Guys, do outro lado da rua. A mesma comida, a mesma embalagem, um produto basicamente idêntico. Mas não tem fila. De fato, a Halal Guys nunca desenvolveu o mesmo séquito devotado que sua irmã. Por quê?

Validação social. As pessoas presumem que, quanto maior a fila, melhor deve ser a comida.

Essa mentalidade de rebanho afeta até mesmo o tipo de carreira que as pessoas cogitam. Todo ano peço a meus alunos de segundo ano de MBA para fazer um exercício curto. Metade dos estudantes são questionados sobre o que pensavam que queriam fazer da vida quando começaram o programa de MBA. A outra metade é questionada sobre o que quer fazer *agora*. Nenhum dos grupos fica sabendo qual pergunta foi feita ao outro, e as respostas são anônimas.

Os resultados são impressionantes. Antes de começar o programa de MBA, os estudantes têm um amplo leque de ambições. Um queria reformar o sistema de saúde, outro queria montar um novo website de viagens, um terceiro queria entrar para a indústria de entretenimento. Alguns queriam concorrer a cargos políticos, e um outro estudante pensava em se tornar empresário. Muitos gostariam de ir para a área de *investment banking* e consultoria. No geral, possuem um conjunto variado de interesses, metas e rotas profissionais.

As respostas dos estudantes quando perguntados sobre o que querem fazer depois de um ano dentro do programa são muito mais homogêneas e concentradas. Mais de dois terços dizem que querem ir para *investment banking* e consultoria, com uma pitadinha de outras carreiras.

A convergência é notável. Claro que muita gente toma conhecimento de diferentes oportunidades durante o programa de MBA, mas parte desse rebanho é conduzido pela influência social. As pessoas não têm certeza sobre que carreira escolher, de modo que observam os outros. E vira uma bola de neve. Embora menos de 20% das pessoas estivessem interessadas em *investment banking* e consultoria ao entrar no programa, esse número é maior que o de qualquer outra carreira. Algumas pessoas veem esses 20% e mudam de ideia. Umas outras veem essas que mudaram e vão atrás. Logo o número está em 30%. O que deixa outras pessoas ainda mais propensas a mudar. Logo aqueles 20% ficaram muito maiores. Assim, por meio da influência social, aquela vantagem inicialmente pequena acaba magnificada. A interação social leva estudantes que originalmente preferiam outros caminhos a ir na mesma direção.

A influência social tem um grande efeito no comportamento, mas, para entender como usar isso para ajudar produtos e ideias a pegar, precisamos compreender quando os efeitos são mais fortes. E isso nos leva a Koreen Johannessen.

O PODER DA OBSERVAÇÃO

Koreen Johannessen entrou na Universidade do Arizona como assistente social clínica. Originalmente, foi contratada pelo grupo de saúde mental para ajudar os estudantes a lidar com problemas como depressão e uso de drogas. Mas, depois de anos tratando estudantes, Johannessen percebeu que estava trabalhando na ponta errada da questão. Claro que ela podia tentar corrigir os problemas em andamento que afligiam os estudantes, mas seria muito melhor evitar que começassem. Então Johannessen transferiu-se do grupo de saúde mental do campus, assumindo a educação em saúde e por fim tornando-se diretora de promoção da saúde e serviços de prevenção.

Como na maioria das universidades dos Estados Unidos, um dos maiores problemas na do Arizona era o abuso no consumo de álcool. Mais de três quartos dos universitários norte-americanos abaixo da idade legal para beber relatam o consumo de álcool. Mas a maior preocupação é com a *quantidade* que eles bebem. Quarenta e quatro por cento dos estudantes tomam porres, e mais 1,8 mil universitários norte-americanos morrem todos os anos de lesões relacionadas ao álcool. Outros 600 mil são feridos sob a influência do álcool. É um problemão.

Johannessen abordou o assunto de frente. Forrou o campus de panfletos detalhando as consequências negativas do álcool. Colocou anúncios no jornal da escola com informações sobre como essa bebida afeta a função cognitiva e o desempenho na escola. Até mesmo instalou um caixão no centro estudantil com estatísticas sobre o número de mortes relacionadas ao álcool. Mas nenhuma dessas iniciativas pareceu ter lá muito impacto no problema. Apenas educar os estudantes sobre os riscos do álcool não parecia suficiente.

Então Johannessen experimentou perguntar aos estudantes como se sentiam a respeito de beber.

Surpreendentemente, ela verificou que a maioria dos estudantes disse não se sentir confortável com os hábitos de bebida dos colegas.

Claro que curtiam um drinque de vez em quando, como a maioria dos adultos. Mas não se ligavam na bebedeira pesada que viam entre os outros estudantes. Falaram com desagrado sobre as vezes que cuidaram de colega de quarto de ressaca ou seguraram o cabelo de alguém enquanto vomitava na privada. Assim, embora os colegas parecessem estar numa boa com a cultura da bebida, eles não estavam.

Johannessen ficou satisfeita. O fato de a maioria dos estudantes ser contra a bebedeira parecia um bom presságio para eliminar o problema – até ela pensar melhor a respeito.

Se a maioria dos estudantes se sentia desconfortável, então como aquilo podia estar acontecendo? Por que os estudantes bebiam tanto, se na realidade não gostavam daquilo?

Porque o comportamento é público, e os pensamentos são privados.

Ponha-se na situação de um universitário. Ao olhar em volta, você iria *ver* várias bebidas. Veria piqueniques nos porta-malas dos carros em jogos de futebol, cervejadas nas fraternidades, e bebida liberada nas festas formais das irmandades. Presenciaria os colegas bebendo e parecendo felizes com isso, de modo que presumiria que *você* é o desgarrado e que todos os outros gostam de beber mais do que você. Então você tomaria mais um drinque.

Mas o que os estudantes não percebem é que *todo mundo* tem pensamentos semelhantes. Os colegas estão passando pela mesma experiência. Veem os outros bebendo, então bebem também. E o ciclo continua porque as pessoas não conseguem ler os pensamentos umas das outras. Se conseguissem, perceberiam que todos sentem a mesma coisa. E não sentiriam toda essa validação social impelindo--as a beber tanto.

Para um exemplo mais familiar, pense na última vez que assistiu a uma apresentação confusa de PowerPoint. Algo sobre diversificação de títulos ou reorganização da cadeia de suprimento. Ao final da palestra, o apresentador provavelmente perguntou à plateia se alguém tinha alguma questão.

A resposta?

Silêncio.

Não porque todo mundo entendeu a apresentação. Provavelmente todos ficaram tão confusos quanto você. Todavia, embora quisessem levantar a mão, não o fizeram porque ficaram preocupados em ser a única pessoa que não havia entendido. Por quê? Porque mais ninguém fez perguntas. Ninguém viu qualquer sinal público de que os outros estivessem confusos, de modo que todos guardaram suas dúvidas para si. Porque o comportamento é público, e os pensamentos são privados.

A famosa frase "O macaco vê, o macaco faz" captura mais do que o pendor humano para a imitação. As pessoas só podem imitar quando podem *ver* o que os outros estão fazendo. Os universitários podem ser pessoalmente contrários a tomar porre, mas enchem a cara porque é o que observam os outros fazendo. Um restaurante pode ser extremamente popular, mas, se é difícil ver o interior (por exemplo, as janelas da frente são foscas), não tem como um transeunte usar a informação para fazer sua escolha.

A observação tem um enorme impacto no que diz respeito a produtos e ideias pegarem. Digamos que uma companhia de roupas lança um novo estilo de camisa. Se você vê alguém usando e conclui que gosta, você pode comprar a mesma camisa ou alguma parecida. Mas isso é muito menos provável de acontecer com meias.

Por quê?

Porque camisas são públicas, e meias são privadas. São mais difíceis de ver.

O mesmo vale para pasta de dente *versus* carros. Você provavelmente não sabe que tipo de pasta seus vizinhos usam. Ela está escondida dentro da casa deles, dentro do banheiro, dentro de um armário. É mais provável que você saiba que carro eles dirigem. E, como as preferências de carro são mais fáceis de observar, é mais provável que o comportamento de compra dos vizinhos possa influenciar o seu.

Meus colegas Blake McShane, Eric Bradlow e eu testamos essa ideia usando dados sobre as vendas de 1,5 milhão de carros. O fato de um vizinho comprar um carro novo seria suficiente para fazer você também comprar?

Encontramos um efeito sem dúvida bem impressionante. As pessoas que moravam em, digamos, Denver, ficavam mais propensas a comprar um carro novo se outros habitantes tivessem comprado carros novos recentemente. E o efeito era bastante grande. Aproximadamente um de cada oito carros era vendido devido à influência social.

Mais impressionante ainda era o papel da observação nesses efeitos. As cidades variam na facilidade para se ver o que os outros estão dirigindo. Em Los Angeles as pessoas tendem a se deslocar de carro, de modo que é mais provável que vejam o que os outros estão dirigindo do que os nova-iorquinos, que se deslocam de metrô. Em locais ensolarados como Miami, você consegue ver mais facilmente o que a pessoa ao seu lado está dirigindo do que em cidades chuvosas como Seattle. Ao afetar a observação, essas condições também determinam o efeito da influência social na compra de carros. As pessoas eram mais influenciadas pelas compras alheias em lugares como Los Angeles e Miami, onde é mais fácil ver o que os outros estão dirigindo. A influência social era mais forte onde o comportamento era mais observável.

Coisas observáveis também são mais prováveis de ser discutidas. Alguma vez você entrou no escritório ou na casa de alguém e indagou sobre um peso de papel estranho em cima da mesa ou uma reprodução colorida na parede da sala? Imagine se esses itens estivessem trancados dentro de um cofre ou socados no porão. Eles seriam comentados? Provavelmente não. A visibilidade pública estimula o boca a boca. Quanto mais fácil de ver uma coisa, mais as pessoas falam dela.

A observação também incita compras e ações. Conforme discutimos no capítulo sobre Gatilhos, sugestões no ambiente não apenas estimulam o boca a boca, como lembram as pessoas de coisas que já queriam comprar ou fazer. Você pode ter pretendido comer de maneira mais saudável ou visitar aquele novo website que seu amigo mencionou, mas, sem um gatilho visível para ativar sua memória, é provável que você esqueça. Quanto mais público um produto ou serviço, mais ativa as pessoas a agir.

Então como se pode tornar produtos ou ideias mais observáveis?

TORNANDO O PRIVADO PÚBLICO... COM BIGODES

Todo outono leciono para cerca de 60 alunos de MBA na Wharton School e lá pelo final de outubro faço uma ideia a respeito da maioria dos estudantes em classe. Sei quem vai chegar atrasado cinco minutos todos os dias, quem será o primeiro a levantar a mão e quem estará vestida como uma prima-dona.

De modo que fiquei um pouco surpreso uns anos trás quando entrei na sala de aula no início de novembro e vi o que achei que fosse um cara bem conservador ostentando um bigodão. Não que ele simplesmente tivesse esquecido de se barbear; ele estava com um bigode com formato de guidão, com extremidades quase prestes a virar para cima. Parecia uma mistura de Rollie Fingers com o vilão de um velho filme preto e branco.

De início pensei que ele pudesse estar fazendo um experimento com pelos faciais. Mas então olhei pela sala e reparei em mais dois adeptos do bigode. Parecia que um modismo estava pegando. O que havia precipitado a súbita explosão de bigodes?

Todo ano, o câncer tira a vida de mais de 4,2 milhões de homens no mundo inteiro. Seis milhões de novos casos são diagnosticados a cada ano. Graças a generosas doações, foram feitos grandes avanços na pesquisa e no tratamento. Mas como as organizações que trabalham para combater a doença podem alavancar a influência social para aumentar as doações?

Infelizmente, como em muitas causas, se você apoia um fundo específico de combate ao câncer, trata-se de um assunto do tipo privado. Se é como a maioria das pessoas, você provavelmente mal tem ideia de quais vizinhos, colegas de trabalho e mesmo amigos fizeram doações para ajudar no combate à doença. Então não há como o comportamento deles influenciar o seu e vice-versa.

É aí que entram os bigodes.

Tudo começou em uma tarde de domingo de 2003. Um grupo de amigos de Melbourne, na Austrália, estava reunido tomando umas cervejas. A conversa vagueou em várias direções e por fim acabou na moda dos anos 1970 e 1980. "O que aconteceu com o bigode?", perguntou um cara. Mais umas cervejas, e bolaram um desafio: ver quem conseguiria deixar crescer o melhor bigode. O assunto se espalhou para outros amigos, e no fim havia um grupinho de 30 caras. Todos deixaram crescer o bigode nos 30 dias de novembro.

Divertiram-se tanto que resolveram fazer de novo no novembro seguinte. Mas dessa vez decidiram colocar uma causa por trás da empreitada. Inspirados pelo trabalho em favor da conscientização do câncer de mama, quiseram fazer algo semelhante pela saúde masculina. Assim formaram a Movember Foundation e adotaram o slogan "Mudando a cara da saúde masculina". Naquele ano, 450 homens angariaram 54 mil dólares para a Fundação do Câncer de Próstata da Austrália.

A coisa cresceu a partir dali. No ano seguinte houve mais de nove mil participantes. No outro, mais de cinquenta mil. Logo o evento anual começou a se espalhar pelo mundo. Em 2007, foram lançados eventos por toda parte, da Irlanda e da Dinamarca até a África do Sul e o Taiwan. Desde então a organização angariou mais de 174 milhões de dólares no mundo inteiro. Nada mal para uns tufos de pelos faciais.

Agora, em todo novembro, homens se comprometem a promover a conscientização e a angariar verbas para a saúde masculina deixando crescer o bigode. As regras são simples. Comece o primeiro dia do mês com o rosto barbeado. Ao longo do resto do mês, cultive um bigode. Ah – e durante o período porte-se como um legítimo cavalheiro.

A Fundação Movember teve sucesso porque percebeu como *tornar o privado, público*. Descobriu como obter apoio para uma causa abstrata – tipicamente não observável – e torná-la algo que todos podem ver. Nos 30 dias de novembro, as pessoas que ostentam um bigode tornam-se efetivamente cartazes ambulantes e falantes para a causa. Conforme observado no site do Movember:

> *Através de suas ações e palavras eles [participantes] promovem a conscientização, provocando conversas públicas e privadas em torno de assuntos, muitas vezes ignorados, da saúde masculina.*

E a conversa começa mesmo. Ver um conhecido deixar crescer um bigode repentinamente gera discussão. As pessoas em geral fofocam um pouquinho entre si antes de alguém criar coragem e perguntar àquele que usa o que motivou o novo pelo facial. Quando ele explica, compartilha a moeda social e gera novos adeptos. A cada ano, vejo mais e mais alunos meus ostentando bigodes em novembro. Tornar a causa pública ajudou a fazê-la pegar mais depressa.

A maioria dos produtos, das ideias e dos comportamentos são consumidos em caráter privado. De quais websites seus colegas de trabalho gostam? Que projetos eleitorais seus vizinhos apoiam? A menos que eles contem, talvez você nunca venha a saber. Embora isso possa não lhe interessar em termos pessoais, vale muito para o sucesso de organizações, empresas e ideias. Se as pessoas não conseguem ver o que as outras estão escolhendo e fazendo, não podem imitá-las. E, como os universitários beberrões, podem mudar o comportamento para pior porque acham que seus pontos de vista não têm apoio.*

---

* Tornar o privado público é especialmente importante para coisas que as pessoas podem a princípio não se sentir confortáveis de falar a respeito. Por exemplo os relacionamentos on-line. Muitas pessoas experimentaram, mas isso ainda é um tanto estigmatizado em nossa cultura geral. E parte do estigma deve-se ao fato de as pessoas não saberem que muita gente que elas conhecem experimentou. Trata-se de um comportamento relativamente privado, de modo que, para ajudá-lo a pegar, as companhias de relacionamento on-line precisam deixar as pessoas mais cientes de que muitos outros estão fazendo isso. Os fabricantes do Viagra cunharam o termo "DE" (disfunção erétil) para deixar as pessoas mais confortáveis para falar sobre o que antes era um assunto privado. Muitas faculdades implantaram o dia do "vista jeans, se você é gay" em parte para despertar a conscientização e a discussão na comunidade LGBT.

Resolver esse problema requer tornar o privado, público. Gerar sinais públicos de escolhas, ações e opiniões privadas. Pegar o que antes era um pensamento ou comportamento inobservável e transformar em algo mais perceptível.

Koreen Johannessen conseguiu reduzir a bebida dos estudantes do Arizona transformando o privado, público. Ela criou anúncios para o jornal da escola que simplesmente afirmavam o que via de regra acontecia. A maioria dos estudantes tomava apenas um ou dois drinques, e 69% tomavam quatro ou menos em festas. Ela não enfocou as consequências da bebida para a saúde, ela enfocou a informação social. Ao mostrar para os estudantes que a maioria dos colegas não estavam tomando porres, ela ajudou-os a perceber que os outros sentiam-se da mesma maneira. Que a maioria não queria encher a cara. Isso corrigiu as inferências falsas que todos tinham a respeito do comportamento alheio, e por conseguinte levou-os a reduzir o que bebiam. Ao tornar o privado, público, Johannessen conseguiu diminuir a bebedeira em quase 30%.

ANUNCIANDO A SI MESMO: COMPARTILHANDO O HOTMAIL COM O MUNDO

Uma forma de tornar as coisas mais públicas é elaborar ideias que anunciem a si mesmas.

Em 4 de julho de 1996, Sabeer Bhatia e Jack Smith lançaram um novo serviço de e-mail chamado Hotmail. Na época, a maioria das pessoas pegava seus e-mails através do serviço de provedores de internet, como a AOL. Você pagava uma taxa mensal, discava de casa usando uma linha de telefone e acessava as mensagens por meio da interface da AOL. Era limitado. Você só podia se conectar do local onde tinha o serviço instalado. Você ficava preso a um computador.

Mas o Hotmail era diferente. Foi um dos primeiros serviços de e-mail baseados na web, o que permitia às pessoas acessar sua caixa de entrada de qualquer computador, em qualquer lugar do mundo. Tudo de que precisavam era uma conexão de internet e um navegador. O Dia da Independência foi escolhido para o anúncio para simbolizar que o serviço libertava as pessoas de ficarem trancadas em seu atual provedor.

O Hotmail era um grande produto e também marcou muitos pontos em uma série de estímulos para o boca a boca de que falamos até aqui. Na época, foi realmente notável ter condições de acessar o e-mail de qualquer lugar. De modo que os primeiros usuários gostavam de falar a respeito porque isso lhes rendia Moeda Social. O produto também ofereceu aos usuários benefícios significativos em relação a outros serviços de e-mail (para começar, era grátis!), de modo que muita gente compartilhou-o pelo Valor Prático.

Mas os criadores do Hotmail fizeram mais do que criar apenas um produto. Também alavancaram a observação de forma sagaz para ajudar o produto a pegar.

Cada e-mail enviado de uma conta do Hotmail era como um plug para a marca em crescimento. Bem embaixo havia uma mensagem e um link dizendo apenas: "Obtenha seu e-mail privado e grátis no www.hotmail.com". Toda vez que os clientes do Hotmail enviavam um e-mail, também mandavam um pouquinho de validação social para prováveis clientes – um aval implícito para o serviço antes desconhecido.

E funcionou. Em pouco mais de um ano, o Hotmail registrou mais de 8,5 milhões de assinantes. Logo em seguida, a Microsoft comprou o florescente serviço por 400 milhões de dólares. Desde então mais de 350 milhões de usuários registraram-se.

Apple e Blackberry adotaram a mesma estratégia. As assinaturas no pé de seus e-mails costumam dizer: "Enviado via Blackberry" ou "Enviado do meu iPhone". Os usuários podem facilmente trocar essa mensagem padrão para alguma outra coisa (um de meus colegas mudou sua assinatura para: "Enviado por pombo-correio"), mas a maioria das pessoas não o faz, em parte porque gostam da Moeda Social que a nota proporciona. E, ao deixar essas notas em seu e-mail, as pessoas também ajudam a espalhar conhecimento sobre a marca e influenciar outros a experimentá-la.

Todos esses exemplos envolvem produtos que *anunciam a si mesmos*. Toda vez que as pessoas usam o produto ou o serviço, também transmitem validação social ou aprovação passiva porque o uso é observável.

Muitas companhias aplicam essa ideia colocando a marca em destaque. Abercrombie & Fitch, Nike e Burberry adornam seus produtos com o nome da marca ou logos e padrões distintivos. Placas de "Vende-se" indicam com que corretor de imóveis o vendedor está trabalhando.

Seguindo a noção de que mais é melhor, algumas companhias aumentaram o tamanho de seus logos. Ralph Lauren sempre foi conhecida pelo jogador de polo característico, mas as camisas Big Pony trazem o emblema famoso 16 vezes maior. Para não ficar para trás na escalada pela supremacia do logo, a Lacoste fez manobra semelhante. O crocodilo da camisa polo Oversized Croc é tão grande que parece que vai arrancar o braço da pessoa que a veste.

Mas logos grandes não são a única maneira com que os produtos podem se anunciar. Veja a decisão da Apple de fazer os fones de ouvido do iPod brancos. Quando a Apple lançou o iPod, havia muita concorrência no espaço dos players digitais de música. Diamond Multimedia, Creative, Compaq e Archos ofereciam players, e a música no aparelho de uma companhia não podia ser transferida com facilidade para outro. Além disso, não estava claro qual, se é que algum, daqueles padrões concorrentes iria se firmar, e se valia a pena trocar de um CD player portátil ou Walkman para aquele novo e caro equipamento.

No entanto, como a maioria dos aparelhos vinha com fones de ouvido pretos, os fios brancos da Apple sobressaíram. Ao se anunciarem, os fones facilitavam que se visse quantas outras pessoas mais estavam abandonando o tradicional Walkman e adotando o iPod.

Aquela era uma validação social visível que sugeria que o iPod era um bom produto e também fazia os potenciais novos usuários sentirem-se mais confortáveis a respeito de comprá-lo.

Formas, sons e uma miríade de outras características distintivas também podem ajudar os produtos a se anunciar. A Pringles vem em um tubo peculiar, e computadores que utilizam o sistema operacional da Microsoft fazem um som distinto quando inicializam. Em 1992, o designer de calçados francês Christian Louboutin sentiu que seus sapatos careciam de energia. Olhando em volta, reparou no esmalte Chanel vermelho chamativo que uma funcionária estava usando. *É isso!*, ele pensou, e aplicou o esmalte na sola dos sapatos. Agora os sapatos Louboutin sempre vêm com solas esmaltadas em vermelho, tornando-os instantaneamente reconhecíveis. Eles são distintos e fáceis de ver, mesmo para pessoas que pouco sabem a respeito da marca.

Ideias semelhantes podem ser aplicadas a uma hoste de produtos e serviços. Alfaiates dão sacos para ternos com o nome da alfaiataria. Casas noturnas usam *sparklers* para informar quando alguém compra uma garrafa. Tíquetes em geral ficam no bolso das pessoas; porém, se companhias de teatro e times de ligas inferiores pudessem usar broches ou adesivos como "tíquete", isso seria muito mais visível em público.

Projetar produtos que se anunciem é uma estratégia especialmente poderosa para pequenas companhias ou organizações que não dispõem de muitos recursos. Mesmo quando não há dinheiro para comprar anúncios de televisão ou um espaço no jornal local, os clientes podem atuar como propaganda se o produto anuncia a si mesmo. É como divulgar sem verba de publicidade.

Uma ideia, produto ou comportamento anuncia a si mesmo quando as pessoas o consomem. Quando elas vestem certas roupas, participam de um comício ou utilizam um website, fazem com que seja mais provável que seus amigos, colegas de trabalho e vizinhos vejam o que elas estão fazendo e as imitem.

Se uma companhia ou organização tem sorte, as pessoas consomem seu produto ou serviço com frequência. Mas e quanto ao resto do tempo? Quando os consumidores estão vestindo outras roupas, apoiando uma causa diferente, ou fazendo outra coisa completamente diversa? Existe algo que gere validação social que se mantenha mesmo quando o produto não está sendo usado ou a ideia não está em primeiro plano na mente?

Sim. E se chama *resíduo comportamental*.

PULSEIRAS LIVESTRONG COMO RESÍDUO COMPORTAMENTAL

Scott MacEachern tinha que tomar uma decisão difícil. Em 2003, Lance Armstrong era uma commodity quente. E, como seu patrocinador na Nike, MacEarchen estava tentando calcular a melhor forma de aproveitar toda a atenção que Lance estava recebendo.

Lance tinha uma história poderosa. Diagnosticado com câncer de testículos letal sete anos antes, Lance tivera uma estimativa de sobrevivência de apenas 40%. No entanto, surpreendeu a todos não só por voltar a pedalar, mas por estar mais forte que nunca. Desde o retorno, ele venceu o Tour de France cinco espantosas vezes em sequência e inspirou milhões de pessoas ao longo do trajeto. De jovens de 15 anos com câncer a universitários tentando ficar em forma, Lance ajudou as pessoas a acreditar. Se ele podia voltar do câncer, eles podiam superar os desafios em suas vidas. (Observe que desde 2003 ficou evidente que Lance poderia ter obtido o sucesso por meio do uso de drogas de aumento da performance. Todavia, dado o tremendo sucesso das pulseiras Livestrong e da Fundação Lance Armstrong em termos mais gerais, vale a pena examinar como elas tornaram-se populares, independente da história pessoal de Armstrong estar manchada ou não.)

MacEarchen queria faturar em cima de todo esse entusiasmo. Lance havia transcendido o esporte. Havia se tornado não só um herói, mas um ícone cultural. MacEarchen queria reconhecer os feitos de Lance e celebrar sua iminente tentativa da sexta vitória no Tour de France. Também queria usar a onda de interesse e apoio para angariar fundos para a Fundação Lance Armstrong. Como poderia fazer as pessoas se reunirem em torno da causa?

MacEarchen desenvolveu duas ideias potenciais.

A primeira era uma viagem de bicicleta pela América. As pessoas estabeleceriam uma meta de quilometragem para si mesmas e arranjariam amigos ou membros da família para patrocinar sua viagem. Faria com que mais gente se exercitasse, aumentaria o interesse pelo ciclismo e levantaria fundos para a Fundação Lance Armstrong. Lance poderia até fazer parte da jornada. O evento duraria semanas e provavelmente obteria significativa cobertura da mídia, tanto nacional quanto internacional, em todas as cidades que a viagem abrangesse.

A segunda ideia era uma pulseira. A Nike recentemente começara a vender as Baller Bands, faixas de silicone e borracha com mensagens inspiradoras como "EQUIPE" ou "RESPEITO" gravadas. Os jogadores de basquete usavam-nas para manter o foco e aumentar a motivação. Por que não fazer uma pulseira focada em Armstrong? A Nike poderia fazer cinco milhões de pulseiras, vendê-las a um dólar cada e doar toda a renda para a Fundação Lance Armstrong.

MacEarchen gostou da ideia da pulseira, mas, quando apresentou-a para os assessores de Lance, estes não ficaram convencidos. A fundação achou que as pulseiras seriam um fracasso. Bill Stapleton, agente de Armstrong, achou que as pulseiras não tinham chance de sucesso e chamou-as de "ideia estúpida". Até Armstrong estava incrédulo e perguntou: "O que vamos fazer com as 4,9 milhões que não vendermos?"

MacEarchen ficou indeciso. Embora gostasse da ideia, não tinha certeza de que ela decolaria. Mas tomou uma decisão aparentemente inócua que teve grande impacto no sucesso do produto. MacEarchen fez as pulseiras na cor amarela.

O amarelo foi escolhido por ser a cor da camiseta do líder da corrida no Tour de France. Não está fortemente associada a nenhum gênero, permitindo que fosse usada por homens e mulheres.

Mas também foi uma decisão esperta da perspectiva da observação. Amarelo é uma cor que as pessoas quase nunca veem.

E é chamativo. O amarelo se destaca em quase tudo que as pessoas vestem, facilitando que se veja a pulseira Livestrong de longe.

Essa visibilidade pública ajudou a tornar o produto um tremendo sucesso. Não só a Nike vendeu os primeiros cinco milhões de pulseiras, como fez isso nos primeiros seis meses de lançamento. A produção não conseguia acompanhar a demanda. As pulseiras eram um artigo tão badalado que as pessoas começaram a dar lances de dez vezes o preço de varejo para obtê-las no eBay. No fim foram vendidas mais de 85 milhões de pulseiras. Você talvez até conheça alguém que use uma até hoje. Nada mal para um pedacinho de plástico.

É difícil saber quão bem teria se saído a viagem pela América caso a Nike a tivesse implementado. E é fácil avaliar em retrospectiva uma estratégia bem-sucedida e dizer que obviamente era a melhor escolha. No entanto, uma coisa é clara: a pulseira cria mais resíduo comportamental que uma jornada pelo país. Conforme MacEarchen notou com perspicácia:

> *A coisa boa de uma pulseira é que ela continua. A viagem de bicicleta, não. Haverá fotos da viagem de bicicleta e as pessoas vão falar dela, mas, a menos que aconteça todo ano – e mesmo que seja assim –, ela não permanece como um lembrete diário desse tipo de coisa. Mas a pulseira, sim.*

Resíduo comportamental são os traços ou vestígios físicos que a maioria das ações ou comportamentos deixam em seu rastro. Os amantes de mistério têm estantes cheias de romances desse tipo. Políticos emolduram fotos deles apertando as mãos de políticos famosos. Corredores possuem troféus, camisetas ou medalhas de participação em corridas de cinco quilômetros.

Conforme discutido no capítulo sobre Moeda Social, artigos como a pulseira Livestrong proporcionam um insight sobre quem as pessoas são e do que gostam. Mesmo coisas que de outro modo seriam difíceis de observar, como fazer doações para uma causa específica ou preferir mistério à ficção histórica.

Quando publicamente visíveis, esses vestígios facilitam a imitação e proporcionam chances de os indivíduos falarem sobre produtos ou ideias relacionados.

Por exemplo, as eleições. É difícil fazer as pessoas participarem da votação. Ela têm que descobrir onde se localiza sua mesa eleitoral, não ir ao trabalho pela manhã e ficar na fila, às vezes por horas, até terem a chance de depositar o voto na urna. E esses obstáculos são agravados pelo fato de que votar é um ato privado. A menos que aconteça de você ver todas as pessoas que vão às urnas, você não tem ideia de quantos outros decidiram que votar valia o esforço, de modo que não há muita validação social.

Mas nos anos 1980 as autoridades eleitorais inventaram uma boa maneira de tornar a votação mais observável: o adesivo "Eu votei". Bastante simples, mas, por criar resíduo comportamental, o adesivo tornou o ato privado de votar muito mais público, mesmo depois de as pessoas deixarem a mesa eleitoral. Proporcionou um lembrete imediato de que era dia de votar, que outros estavam fazendo isso, e que você também deveria fazer.

Existe resíduo comportamental em todos os tipos de produtos e ideias. Tiffany, Victoria's Secret e uma infinidade de outros varejistas dão aos clientes sacolas descartáveis para levarem suas compras para casa. Todavia, devido à Moeda Social associada a alguns desses varejistas, muitos consumidores reutilizam as sacolas em vez de jogar fora. Usam as sacolas da Victoria's Secret para carregar as roupas de ginástica, colocam o almoço dentro da sacola da Tiffany, ou usam a famosa sacola parda da Bloomingdale's para carregar papelada pela cidade. As pessoas reutilizam até sacolas de restaurantes, lojas de desconto e outros locais que não são símbolos de status.

O varejo de roupas Lululemon leva essa ideia um passo adiante. Em vez de fazer sacolas de papel relativamente duráveis, faz sacolas de compra difíceis de jogar fora. Produzidas com plástico resistente, como as sacolas de mercado reutilizáveis, essas destinam-se claramente a ser reutilizadas. Assim, as pessoas usam-nas para carregar alimentos ou fazer outras atividades. No caminho, esse resíduo comportamental ajuda a fornecer validação social para a marca.

Brindes também podem proporcionar resíduo comportamental. Vá a qualquer conferência, feira de emprego ou grande encontro onde os apresentadores tenham montado estandes e você ficará atordoado com a quantidade de artigos promocionais que eles distribuem. Canecas, canetas e camisetas. Invólucros para canecas, bolinhas antiestresse e raspadores de gelo. Uns anos atrás Wharton me deu até uma gravata.

Contudo, alguns desses brindes proporcionam melhor resíduo comportamental que outros. Dar um estojo para colocar maquiagem é ótimo, mas as mulheres em geral aplicam maquiagem na privacidade de seus banheiros, então isso não deixa a marca muito observável. Canecas de café e sacolas de academia podem ser usadas com menos frequência, mas seu uso é mais visível publicamente.

Postagens on-line de opiniões e comportamento também proporcionam resíduo comportamental. Resenhas, blogs, posts ou outros tipos de conteúdo deixam evidências que os outros podem encontrar depois. Por esse motivo, muitas empresas e organizações encorajam as pessoas a dar um Curtir nelas – ou em seu conteúdo – no Facebook. Com um simples clique no botão Curtir, as pessoas não só mostram sua afinidade com um produto, ideia ou organização, como ajudam a espalhar a informação de que algo é bom ou digno de atenção. A ABC News verificou que a instalação desses botões elevou seu tráfego no Facebook em 250%.

Outros sites usam tecnologia push – postam automaticamente nas páginas das redes sociais o que as pessoas fazem. A música sempre foi uma atividade de certo modo social, mas o Spotify vai mais longe. O sistema lhe permite ouvir quaisquer canções de que goste, mas também posta o que você está ouvindo em sua página do Facebook, facilitando que seus amigos vejam do que você gosta (e informando-os do Spotify). Muitos outros websites fazem a mesma coisa.

Mas devemos sempre tentar tornar as coisas públicas? Existem casos em que tornar algo público poderia ser uma má ideia?

COMERCIAIS ANTIDROGAS?

Uma adolescente vivaz de cabelo escuro desce as escadas do seu prédio. Ela usa um belo colar de prata e carrega um suéter na mão. Poderia estar a caminho do trabalho ou indo tomar um café com um amigo. De repente, a porta de um vizinho se abre e uma voz sussurra: "Tenho um baseado do bom pra você."

"Não!", diz ela, desconfiada, e se apressa escada abaixo.

Um garoto de rosto radiante está sentado do lado de fora. Ele traja um moletom azul, com o cabelo no corte tigela que já foi popular entre os meninos. Parece profundamente absorto em um video game quando uma voz o interrompe. "Cocaína?", pergunta a voz. "Não, obrigado", responde o garoto.

Um jovem está encostado em uma parede mascando chiclete. "Ei, meu chapa, quer uns quaaludes?", indaga a voz. "De jeito nenhum!", exclama o rapaz com um olhar feroz.

"Just Say No" ("Apenas diga não") é uma das campanhas antidrogas mais famosas de todos os tempos. Criada pela primeira-dama Nancy Reagan durante o mandato presidencial de seu marido, a campanha veiculou anúncios de utilidade pública como parte de um esforço nacional para desencorajar os adolescentes quanto ao uso recreativo de drogas nos anos 1980 e 1990.

A lógica era simples. De um jeito ou de outro, os jovens serão indagados se querem usar drogas. Seja por um amigo, um estranho, ou alguém mais. E eles precisam saber dizer não. Assim o governo gastou milhões de dólares em anúncios de utilidade pública antidrogas. Esperava-se que as mensagens ensinassem à garotada como reagir nessas situações e, por conseguinte, reduzir o uso de drogas.

Campanhas mais recentes basearam-se na mesma ideia. Entre 1998 e 2004, o Congresso destinou quase um bilhão de dólares para a Campanha Nacional de Mídia Juventude Antidrogas. A meta era educar jovens entre 12 e 18 anos e capacitá-los para que rejeitassem drogas.

O professor de comunicação Bob Hornik quis ver se os anúncios antidrogas eram realmente eficientes. Coletou dados sobre o uso de drogas de milhares de adolescentes ao longo do período em que os anúncios foram veiculados. Se os jovens os tinham visto e se tinham fumado maconha alguma vez. Então examinou se esses anúncios de utilidade pública pareciam reduzir o uso de maconha.

Não.

De fato, as mensagens pareciam *aumentar* o uso de drogas. Jovens entre 12 anos e meio e 18 anos que viram os anúncios na verdade ficaram *mais* propensos a fumar maconha. Por quê?

Porque os anúncios tornaram o uso de drogas mais público.

Pense sobre a observação e validação social. Antes de ver a mensagem, alguns garotos talvez jamais tivessem pensando em usar drogas. Outros podiam ter cogitado, mas evitado fazer a coisa errada.

Porém, os anúncios antidrogas com frequência dizem duas coisas simultaneamente. Dizem que as drogas são ruins, mas também dizem que outras pessoas estão usando. E, conforme discutimos ao longo deste capítulo, quanto mais os outros parecem estar fazendo alguma coisa, mais provável é que as pessoas pensem que aquela coisa é certa ou normal e que também deveriam estar fazendo.

Imagine que você seja um jovem de 15 anos que nunca cogitou usar drogas. Você está sentado em casa vendo desenhos animados certa tarde quando o anúncio de utilidade pública vem lhe falar sobre os perigos do uso de drogas. Alguém vai lhe perguntar se você quer experimentar, e você precisa estar preparado para dizer não. Ou pior ainda, os garotos descolados é que irão perguntar. Mas você não deve dizer sim.

Nunca se viu anúncios de utilidade pública para evitar que você ampute sua mão com uma serra ou para que não seja atropelado por um ônibus; portanto, se o governo está gastando tempo e dinheiro para falar sobre drogas, muitos dos seus companheiros devem estar usando, certo? Alguns deles aparentemente são os garotos mais descolados da escola. E você nem imaginava!

Conforme disse Hornik:

Nossa hipótese básica é que, quanto mais os jovens viram esses anúncios, mais vieram a crer que vários outros garotos estavam fumando maconha. E, quanto mais eles acreditaram nisso, mais ficaram interessados em fazer o mesmo.

Como acontece com muitas ferramentas poderosas, tornar as coisas mais públicas pode ter consequências não intencionais quando feito de modo descuidado. Se você quer que as pessoas *não* façam alguma coisa, não lhes diga que muitos dos companheiros delas estão fazendo.

Veja a indústria da música. Acharam que poderiam parar os downloads ilegais mostrando às pessoas o quanto o problema é sério. Assim, o website da associação das indústrias adverte com firmeza que "apenas 37% da música adquirida por consumidores norte-americanos... foi paga" e que nos últimos anos "cerca de trinta bilhões de canções foram baixadas de forma ilegal".

Mas não estou certo de que a mensagem provoque o efeito desejado. Isso se não fizer o contrário. Menos da metade das pessoas estão pagando pelas músicas. Uau. Parece que você tem que ser um idiota para pagar, certo?

Mesmo nos casos em que a maioria está fazendo a coisa certa, falar sobre a minoria que está fazendo a errada pode encorajar as pessoas a cair em tentação.

Em vez de tornar público o privado, evitar um comportamento requer o oposto: tornar o público, privado, ou seja, fazer com que a ação dos outros seja *menos* observável.

Uma maneira é realçar o que as pessoas *deveriam* estar fazendo. O psicólogo Bob Cialdini e seus colegas queriam reduzir o número de pessoas que roubavam madeira petrificada do Parque Nacional da Floresta Petrificada do Arizona. Para isso, colocaram cartazes em torno do parque tentando diferentes estratégias. Um pedia às pessoas para não levarem a madeira porque "muitos visitantes anteriores haviam retirado madeira petrificada do parque, alterando o estado natural da Floresta Petrificada". Mas, ao oferecer validação social de que os outros estavam roubando, a mensagem teve um efeito perverso, quase duplicando o número de pessoas que levavam madeira!

Realçar o que as pessoas deveriam fazer foi muito mais eficiente. Ao longo de um conjunto de trilhas distintas, testaram um cartaz diferente que dizia: "Por favor, não retire a madeira petrificada do parque a fim de preservar o estado natural da Floresta Petrificada". Ao enfocar os efeitos negativos da retirada de madeira, em vez do que os outros estavam fazendo, a equipe do parque conseguiu reduzir o furto.

Foi dito que, quando as pessoas são livres para fazer o que querem, elas em geral imitam umas às outras. Olhamos os outros em busca de informação sobre o que é certo ou errado em uma determinada situação, e essa validação social molda tudo, dos produtos que compramos aos candidatos nos quais votamos.

Mas, conforme discutimos, a frase "o macaco vê, o macaco faz" captura mais do que nossa tendência para seguir os outros. Se as pessoas não podem ver o que os outros estão fazendo, não podem imitá-los. Então, para conseguir que nossos produtos e ideias tornem-se populares, precisamos transformá-los em algo mais observável publicamente. Para a Apple isso foi tão fácil quanto virar o logo. Com o engenhoso cultivo de bigodes, o Movember atraiu grande atenção e doações para a pesquisa do câncer masculino.

Assim, precisamos agir como o Hotmail e a Apple, e projetar produtos que anunciem a si mesmos. Devemos ser como Lululemon e Livestrong, e criar resíduo comportamental, evidências discerníveis que persistem mesmo depois que as pessoas usaram nosso produto ou se envolveram com nossas ideias. Precisamos tornar o privado, público. Se algo é feito para aparecer, também o é para crescer.

5. Valor prático

Se você tivesse que escolher alguém para fazer um vídeo viral, Ken Craig provavelmente não seria a sua primeira escolha. A maioria dos vídeos virais são feitos por adolescentes e assistidos por adolescentes. Manobras malucas que alguém fez com sua motocicleta ou personagens de desenhos animados editados de forma a parecer que estão dançando rap. Coisas que os jovens adoram.

Mas Ken Craig tem 86 anos de idade. E o vídeo que se tornou viral? É sobre descascar milho.

Ken nasceu em uma fazenda em Oklahoma, um de cinco irmãos e irmãs. O sustento da família girava em torno do plantio de algodão. Também mantinham uma horta para o cultivo de coisas para o consumo da família. E entre essas coisas estava o milho. Ken come milho desde os anos 1920. Come de tudo, desde torta de milho e sopa de milho a bolinho frito de milho e salada de milho. Uma de suas formas prediletas de comer milho é direto da espiga. Gostoso e fresquinho.

Mas, se você já comeu milho desse jeito alguma vez, sabe que existem dois problemas. Além dos grãos ficarem presos nos dentes, tem aqueles fiapos (chamados de cabelo de milho), que sempre parecem grudar no milho. Com uns puxões fortes, você consegue arrancar a casca facilmente, mas os cabelos parecem ficar agarrados para o resto da vida. Você pode esfregar a espiga, pegá-los cuidadosamente com pinças ou tentar quase qualquer coisa que queira, mas, faça o que fizer, parece que sempre restam uns fiapos teimosos.

E é aí que Ken entra em cena.

Como a maioria dos idosos de 86 anos, Ken não é realmente ligado na internet. Não tem um blog, um canal no YouTube ou qualquer tipo de presença on-line. De fato, até hoje ele fez apenas um único vídeo no YouTube. Só.

Há uns anos, a nora de Ken estava na casa dele preparando o jantar. Ela já estava terminando de cozinhar o prato principal e, quando chegou a hora de comer, disse a Ken que o milho estava pronto para ser debulhado. Certo, disse Ken, mas deixe eu lhe mostrar um truquezinho.

Ele pegou espigas de milho com casca e colocou no micro-ondas. Quatro minutos para cada espiga. Depois disso, pegou uma faca de cozinha e cortou cerca de 1,5 centímetro da base. Então agarrou a casca no topo da espiga, deu duas sacudidas rápidas, e a espiga saiu. Limpinha. Nada de cabelos.

A nora ficou tão impressionada que disse que tinham que fazer um vídeo para mandar para a filha que estava ensinando inglês na Coreia. Assim, no dia seguinte ela gravou um clipe de Ken na cozinha explicando o truque para limpar espigas de milho. Para facilitar a visualização pela filha, postou no YouTube. E no processo mandou o clipe para alguns amigos.

Bem, aqueles amigos enviaram para outros amigos, que também enviaram para outros amigos. Num instante o vídeo *Clean Ears Everytime* ("Espigas sempre limpas") de Ken decolou. Teve mais de cinco milhões de visualizações.

Mas, ao contrário da maioria dos vídeos virais voltados aos jovens, esse voltou-se para o lado oposto, liderando uma escala dos vídeos assistidos na maior parte por pessoas acima de 55 anos de idade. De fato, o vídeo poderia ter se espalhado ainda mais rápido se houvesse mais pessoas de mais idade on-line.

Por que as pessoas compartilharam esse vídeo?

Há uns anos, fui caminhar com meu irmão pelas montanhas da Carolina do Norte. Ele estava concluindo um ano difícil da faculdade de medicina, e eu precisava de uma folga no trabalho; então nos encontramos no Aeroporto de Raleigh-Durham e rumamos para o oeste de carro. Passando pelo azul Tar Heel de Chapel Hill, pela cidade de Winston-Salem, outrora saturada de tabaco, até as montanhas Blue Ridge que abraçam a porção mais a oeste do estado. Na manhã seguinte, acordamos cedo, empacotamos comida para passar o dia e pegamos uma trilha serpenteante pela serra que levava ao topo de um platô majestoso.

O principal motivo para as pessoas fazerem caminhadas é se afastar de tudo. Escapar da agitação e do barulho da cidade e mergulhar na natureza. Nada de outdoors, nada de trânsito, nada de propaganda, só você e a natureza.

Mas naquela manhã, enquanto caminhávamos pelos bosques, nos deparamos com uma situação das mais peculiares. Ao fazermos uma curva em um trecho em declive da trilha, ficamos com um grupo de caminhantes à nossa frente. Seguimos atrás deles por alguns minutos e, sendo um cara curioso, acabei ouvindo a conversa. Pensei que pudessem estar falando sobre o tempo bonito ou sobre a longa descida que acabáramos de fazer.

Mas não.

Estavam falando sobre aspiradores de pó.

Se um modelo específico realmente valia o preço alto e se outro modelo faria o serviço igualmente bem.

Aspiradores de pó? Havia milhares de outras coisas sobre as quais aqueles caminhantes poderiam ter falado. Onde parar para almoçar, a cascata de 20 metros pela qual haviam acabado de passar, até política. Mas aspiradores de pó?

Não é fácil explicar o vídeo viral de Ken Craig sobre milho usando as dimensões de que falamos até aqui neste livro, mas é ainda mais difícil explicar os caminhantes papeando sobre aspiradores de pó. Não estavam conversando sobre nada especialmente notável, de modo que a Moeda Social não desempenhava um grande papel. Embora existam muitas sugestões para aspiradores em casa ou mesmo em uma cidade, não existem muitos Gatilhos para aspiradores de pó na floresta. Por fim, ainda que uma campanha esperta pudesse descobrir como tornar aspiradores de pó um assunto com mais Emoção, os caminhantes estavam apenas em uma conversa básica sobre as qualidades oferecidas por diferentes aspiradores. Assim, o que os incitava a falar?

A resposta é simples. As pessoas gostam de passar informações práticas e úteis adiante. Novidades que os outros possam usar.

No contexto de Gatilhos ou bares escondidos como o Please Don't Tell, o valor prático pode não parecer o conceito mais atraente ou excitante. Alguns podem até dizer que isso é óbvio ou intuitivo. Mas não significa que não seja consequente. Quando o escritor e editor William F. Buckley Jr. foi questionado sobre qual o único livro que levaria consigo para uma ilha deserta, sua resposta foi direta: "Um livro sobre construção de navios."

Coisas úteis são importantes.

Além do mais, conforme ilustram as histórias do milho de Ken e dos caminhantes falando de aspiradores, as pessoas não só valorizam informações práticas como compartilham. Oferecer valor prático ajuda a tornar as coisas contagiantes.

As pessoas compartilham informações com valor prático para ajudar os outros. Seja para economizar o tempo de um amigo ou garantir que um colega poupe uns dólares na próxima vez que for ao supermercado, informação útil ajuda.

Nesse sentido, compartilhar conteúdo com valor prático é uma espécie moderna de mutirão para construir celeiros, estruturas grandes e caras, que são difíceis para uma família pagar ou erguer sozinha. Por isso, nos séculos XVIII e XIX, as comunidades construíam celeiros para um de seus membros em mutirão. As pessoas se juntavam, doavam seu tempo e ajudavam o vizinho. Da próxima vez, o celeiro seria construído para um outro. Você pode pensar nisso como uma versão antiga da atual ideia social de "corrente do bem".

Hoje em dia, as oportunidades diretas de ajudar os outros são cada vez mais raras. A vida suburbana moderna nos distanciou dos amigos e vizinhos. Moramos ao final de longas vias de acesso ou no alto de edifícios, e com frequência mal chegamos a conhecer o vizinho de porta. Muita gente muda-se para longe da família devido ao trabalho ou estudo, reduzindo o contato cara a cara com seus laços sociais mais fortes. A mão de obra contratada tomou o lugar do mutirão comunitário para a construção de celeiros.

Mas compartilhar algo útil com os outros é um jeito fácil e rápido de ajudar, mesmo que não estejamos no mesmo local. Pais podem dar conselhos úteis aos filhos mesmo que estejam a centenas de quilômetros de distância. Passar coisas úteis adiante também fortalece os laços sociais. Se sabemos que nossos amigos gostam de cozinhar, mandar uma nova receita que encontramos nos aproxima. Nossos amigos veem que sabemos e nos importamos, nós nos sentimos bem por sermos úteis, e o compartilhamento consolida a amizade.

Se a Moeda Social tem a ver com o compartilhamento render uma boa imagem para quem transmite informação, o Valor Prático relaciona-se principalmente com quem recebe a informação. Tem a ver com economizar o tempo ou dinheiro das pessoas, ou ajudá-las a ter boas experiências. Claro que compartilhar coisas úteis também beneficia aquele que compartilha. Ajudar os outros dá uma sensação boa. Reflete-se positivamente até mesmo em quem compartilha, fornecendo um pouco de Moeda Social. No cerne, contudo, compartilhar valor prático tem a ver com ajudar os outros. O capítulo sobre Emoções observou que, quando nos importamos, compartilhamos. Mas o contrário também é verdadeiro. Compartilhar é se importar.

Você pode pensar no compartilhamento de valor prático como semelhante a dar conselho. As pessoas falam sobre qual plano de aposentadoria é mais barato e qual político irá equilibrar o orçamento. Que remédio cura resfriado e qual vegetal tem mais betacaroteno. Pense sobre a última vez em que você tomou uma decisão que exigiu reunir e filtrar grande quantidade de informação. Você provavelmente perguntou a uma ou mais pessoas o que deveria fazer. E elas provavelmente deram sua opinião ou enviaram o link de um site que o ajudou.

Assim, o que faz alguma coisa parecer valiosa o bastante em termos práticos para ser passada adiante?

ECONOMIZANDO UMA GRANINHA

Quando a maioria das pessoas pensa em valor prático, economizar dinheiro é uma das primeiras coisas que vêm à mente – obter algo por menos que o preço original ou conseguir mais do que o usual pelo mesmo preço.

Sites como o Groupon e LivingSocial construíram modelos de negócios oferecendo descontos em tudo aos consumidores, de pedicure a aulas de pilotagem.

Um dos maiores impulsos para as pessoas compartilharem promoções é a oferta parecer um bom negócio. Se vemos uma pechincha incrível, não conseguimos deixar de falar a respeito ou encaminhar para alguém que achamos que poderá considerá-la útil. Entretanto, se a oferta é apenas razoável, guardamos para nós.

O que então determina se uma promoção parece ou não um bom negócio?

Obviamente o tamanho do desconto influencia no quanto um negócio parece bom. Economizar cem dólares, por exemplo, tende a parecer mais empolgante do que economizar um dólar. Economizar 50% é mais empolgante que economizar 10%. Você não precisa ser um neurocirurgião para perceber que as pessoas gostam mais de (e compartilham mais) descontos maiores do que menores.

Mas na verdade a coisa é mais complicada. Considere o que você faria no seguinte caso:

Cenário A: Imagine que você está em uma loja querendo comprar uma nova churrasqueira. Você encontra uma Weber

Q 320 que parece muito boa e além disso, para sua alegria, está em liquidação. O preço original de 350 dólares foi remarcado para 250.

Você compraria essa churrasqueira ou iria em outra loja olhar outras? Pense um pouco para responder. Deu? Certo, vamos fazer o exercício outra vez com um estabelecimento diferente.

Cenário B: Imagine que você está em uma loja querendo comprar uma nova churrasqueira. Você encontra uma Weber Q 320 que parece muito boa e além disso, para sua alegria, está em liquidação. O preço original de 255 dólares foi remarcado para 240.

O que você faria nesse caso? Compraria a churrasqueira ou iria a outra loja procurar outras? Espere até ter uma resposta e então prossiga a leitura.

Se você é como a maioria das pessoas, o cenário A pareceu muito bom. Cem dólares a menos por uma churrasqueira e no modelo de que você gosta? Parece um bom negócio. Você provavelmente disse que compraria em vez de continuar procurando.

O cenário B, contudo, não pareceu tão bom. Afinal de contas, são apenas 15 dólares a menos; nem de longe tão bom quanto a primeira oferta. Você provavelmente disse que continuaria procurando em vez de comprar.

Verifiquei resultados semelhantes ao apresentar cada cenário a cem pessoas diferentes. Enquanto 75% das pessoas que receberam o cenário A disseram que comprariam a churrasqueira em vez de continuar procurando, apenas 22% das que receberam o cenário B disseram que comprariam.

Tudo faz o mais perfeito sentido – até você pensar sobre o preço final em cada loja. Ambas as lojas estavam vendendo a mesma churrasqueira. Assim sendo, as pessoas deveriam ser mais propensas a dizer que comprariam na loja onde o preço era mais baixo (cenário

B). Mas não. De fato aconteceu o contrário. Mais gente disse que compraria a churrasqueira no cenário A, embora fosse pagar mais caro (250 em vez de 240 dólares). Como pode?

A PSICOLOGIA DAS NEGOCIAÇÕES

Em um dia frio do inverno de dezembro de 2002, Daniel Kahneman subiu ao palco para falar em um salão lotado na Universidade de Estocolmo, na Suécia. A plateia estava cheia de diplomatas e dignitários suecos, e alguns dos mais destacados acadêmicos do mundo. Kahneman estava lá para dar uma palestra sobre racionalidade limitada, uma nova perspectiva em julgamento e escolha intuitiva. Ele havia dado palestras semelhantes ao longo dos anos, mas aquela era ligeiramente diferente. Kahneman estava em Estocolmo para receber o Prêmio Nobel de Economia.

O Nobel é um dos prêmios mais prestigiosos do mundo, sendo dado a pesquisadores que ofereceram um grande insight em suas disciplinas. Albert Einstein recebeu um Prêmio Nobel pelo trabalho em física teórica. Watson e Crick receberam um Nobel em medicina pelo trabalho sobre a estrutura do DNA. Em economia, o Prêmio Nobel é concedido a pessoas cuja pesquisa teve amplo impacto no avanço do pensamento econômico.

Mas Kahneman não é economista. É psicólogo.

Kahneman recebeu o Nobel pelo trabalho com Amos Tversky sobre o que chamaram de "teoria prospectiva". A teoria é incrivelmente rica, mas seu cerne baseia-se em uma ideia muito básica. A forma como as pessoas realmente tomam decisões com frequência viola suposições econômicas normais sobre como *deveriam* fazer isso. Julgamentos e decisões nem sempre são racionais ou ideais. Em vez disso, baseiam-se em princípios psicológicos de como as pessoas percebem e processam informações. Assim como os processos de percepção influenciam ao vermos um suéter específico como vermelho ou avistarmos um objeto no horizonte como algo distante, também influenciam quando um preço parece alto ou uma oferta parece boa. Junto com o trabalho de Richard Thaler, a pesquisa de Kahneman e Tversky é um dos primeiros estudos sobre o que agora vemos como "economia comportamental".

Um dos principais pontos da teoria prospectiva é que as pessoas não avaliam as coisas em termos absolutos. Avaliam em relação a um padrão comparativo ou "ponto de referência". Cinquenta centavos por um café não são apenas 50 centavos por um café. Isso parece um preço justo ou não dependendo de suas expectativas. Se você mora em Nova Iorque, pagar 50 centavos por uma xícara de café parece muito barato. Você acharia graça por ter dado essa sorte e compraria café naquele local todo dia. Poderia até contar aos amigos.

Entretanto, se você morar no interior da Índia, 50 centavos pode parecer extremamente caro. Seria muito mais do que você sonharia em pagar por um café, e você jamais compraria. Se fosse contar alguma coisa aos amigos, seria sobre sua revolta com a manipulação dos preços.

Você vê o mesmo fenômeno em operação se vai ao cinema ou a uma loja com pessoas na faixa dos 70 ou 80 anos. Elas com frequência reclamam dos preços. "O quê?", exclamam. "Não vou pagar 11 dólares por uma entrada de cinema de jeito nenhum. Isso é um assalto!"

Poderia parecer que idosos são mais sovinas que o resto de nós. Mas existe um motivo mais fundamental para acharem os preços abusivos. Eles possuem pontos de referência diferentes. Lembram-se do tempo em que uma entrada de cinema custava 40 centavos e o quilo do filé, 50 centavos, quando a pasta de dente custava 29 centavos e toalhas de papel, dez centavos. Por causa disso é difícil que vejam os preços atuais como justos. Os preços parecem muito mais altos do que eles se lembram, de modo que se recusam a pagar.

Os pontos de referência ajudam a explicar os cenários da churrasqueira que discutimos poucas páginas atrás. As pessoas usam o preço que esperam pagar por alguma coisa como ponto de referência. Assim, a churrasqueira pareceu um negócio melhor quando remarcada de 350 para 250 dólares, em vez de 250 para 240 dólares, embora fosse a mesma churrasqueira. Fixar um ponto de referência mais alto fez a primeira oferta parecer melhor, ainda que o preço fosse mais alto no geral.

Os programas de vendas da TV com frequência utilizam a mesma abordagem.

As incríveis facas Miracle Blade duram para sempre! Veja as facas cortarem um abacaxi, uma lata de refrigerante e até uma moeda! Você poderia esperar pagar cem ou até mesmo 200 dólares por um conjunto de facas como essas, mas pode obter essa incrível oferta agora mesmo por apenas 39,99!

Soa familiar? Deveria. A maioria dos infocomerciais usa essa técnica para fazer com que qualquer coisa que estejam oferecendo pareça um grande negócio. Ao mencionar cem ou 200 dólares como o preço que você esperaria pagar, o infocomercial fixa um ponto de referência, fazendo o preço final de 39,99 parecer uma ninharia.

É por isso também que os comerciantes em geral listam o preço de varejo padrão ou "regular" do fabricante mesmo quando algo está em liquidação. Querem que os consumidores usem aquele preço como referência, fazendo o preço da liquidação parecer ainda melhor. Os consumidores ficam tão focados em conseguir um bom negócio que, conforme mostrou o exemplo da churrasqueira, às vezes acabam pagando mais para obtê-lo.

Os pontos de referência também funcionam com quantidades.

Mas espere, tem mais! Se você ligar agora, enviaremos um segundo conjunto dessas facas absolutamente de graça! É isso mesmo, um conjunto extra pelo mesmo preço. E ainda enviaremos esse afiador de facas portátil. Sem custo extra!

Aqui o infocomercial pega a quantidade de referência e a amplia. Você esperava pagar 39,99 por um conjunto de facas Miracle Blade, mas agora está levando um conjunto extra e um afiador de facas pelo mesmo preço. Além de o preço ser menor do que suas expectativas (que para começar foram estabelecidas por eles), os itens adicionais fazem a oferta parecer um negócio ainda melhor.

Até onde vai o efeito de se colocar alguma coisa em liquidação? Os cientistas de marketing Eric Anderson e Duncan Simester quiseram descobrir. Por isso, há alguns anos aliaram-se a uma companhia que envia catálogos de vestuário para lares dos Estados Unidos. Pense em L.L. Bean, Spiegel ou Land's End. A maior parte das roupas nesses catálogos têm o preço normal, mas às vezes apresentam certos artigos de liquidação e baixam os preços. Não é de espantar que isso aumente as vendas. As pessoas gostam de pagar menos, de modo que baixar o preço torna as coisas mais desejáveis.

Mas Anderson e Simester tinham em mente uma pergunta diferente. Indagavam-se se os consumidores achavam a ideia de um desconto tão poderosa que apenas rotular alguma coisa como "em liquidação" aumentaria as compras.

Para testar a possibilidade, Anderson e Simester criaram duas versões diferentes do catálogo e enviaram cada uma para mais de cinquenta mil pessoas. Em uma versão, alguns dos produtos (por exemplo, vestidos) estavam marcados com avisos que diziam "LIQUIDAÇÃO pré-temporada". Na outra versão, não estavam marcados como liquidação.

Claro que marcar aqueles produtos como liquidação aumentou a demanda. Em mais de 50%.

A armadilha?

O preço dos vestidos era o mesmo nas duas versões do catálogo. Portanto, o uso da palavra "liquidação" ao lado de um preço aumentou as vendas *ainda que o preço em si tenha permanecido igual*.

Outro ponto da teoria prospectiva é algo chamado de "sensibilidade decrescente". Imagine que você esteja procurando um novo rádio relógio. Na loja onde pretende comprá-lo, você verifica que o preço é 35 dólares. Um vendedor informa que o mesmo item está à venda em outra filial da mesma loja por apenas 25 dólares. A loja fica a 20 minutos de carro, e o vendedor garante que lá eles têm o que você quer.

O que você faria? Compraria o rádio relógio na primeira loja ou iria até a segunda?

Se você é como a maioria das pessoas, provavelmente ficaria disposto a ir à outra loja. Afinal, é apenas um corrida curta de carro e você economiza quase 30% no rádio. Parece moleza.

Mas considere um exemplo semelhante. Imagine que você esteja comprando uma nova televisão. Na loja em que pretende comprar, você verifica que o preço é 650 dólares. Um vendedor informa que o mesmo item está à venda em outra filial da mesma loja por apenas 640 dólares. A loja fica a 20 minutos de carro, e o vendedor garante que lá eles têm o que você quer.

O que você faria *nessa* situação? Estaria disposto a rodar 20 minutos para economizar dez dólares na televisão?

Se você é como a maioria das pessoas, provavelmente diria não dessa vez. Por que andar 20 minutos para economizar uns dólares em uma TV? Provavelmente você gastaria mais em gasolina do que economizaria no produto. De fato, quando apresentei cada cenário para cem pessoas diferentes, 87% disseram que comprariam a televisão na primeira loja, ao passo que apenas 17% disseram o mesmo quanto ao rádio relógio.

Porém, se pensar a respeito, os dois cenários são essencialmente iguais. Ambos têm a ver com andar 20 minutos de carro para economizar dez dólares. Portanto, as pessoas deveriam ter ficado igualmente dispostas a fazer a corrida nos dois cenários.

Só que não ficaram. Embora quase todos estivessem dispostos a fazer a corrida pelo rádio relógio mais barato, quase ninguém ficou disposto a isso para comprar a TV. Por quê?

Sensibilidade decrescente reflete a ideia de que quanto mais longe estiver do ponto de referência, menor será seu impacto a mesma alteração. Imagine que você compra uma rifa no seu escritório ou na escola de seu filho. Você não espera ganhar muita coisa, mas para sua surpresa ganha dez dólares. Que sorte! É ótimo ganhar qualquer coisa, de modo que você provavelmente ficaria bem feliz.

Agora suponha que em vez disso ganhasse vinte dólares. Você provavelmente se sentiria ainda mais feliz. Talvez não virasse cambalhotas em nenhum dos casos, mas ganhar essa diferença a mais seria significativamente melhor.

Certo, agora vamos pegar a mesma rifa e o mesmo aumento de dez dólares nos ganhos e aumentar os prêmios um pouquinho. Imagine que você ganhou 120 em vez de 110 dólares. Ou ainda melhor, 1.020 em vez de 1.010 dólares. De repente, dez dólares extras não importam tanto. Você provavelmente iria se sentir essencialmente da mesma forma se ganhasse 120 em vez de 110 dólares. No segundo caso você também provavelmente nem sequer notaria. A mesma alteração – ganhar dez dólares a mais – tem impacto cada vez menor quanto mais você se distancia do ponto de referência de zero dólar ou não ganhar quantia alguma.

A sensibilidade decrescente ajuda a explicar por que as pessoas ficam mais dispostas a pegar o carro para economizar dinheiro no rádio relógio. Este objeto era muito mais barato, por isso um desconto de 35 para 25 dólares parece um negócio muito bom. Contudo, embora a televisão também custasse dez dólares a menos, isso não pareceu uma pechincha, visto que uma televisão inicialmente é muito mais cara.

REALÇANDO O VALOR INCRÍVEL

As ofertas parecem mais atraentes quando realçam o valor incrível. Conforme discutido no capítulo sobre Moeda Social, quanto mais notável é uma coisa, mais provável é que seja discutida. Somos bombardeados por ofertas o tempo todo. Se compartilhássemos cada vez que o armazém da esquina baixa dez centavos na lata de sopa, não teríamos mais amigo algum. Uma oferta precisa destacar-se para ser compartilhada.

Conforme ilustra a teoria prospectiva, um fator-chave para se realçar o valor incrível é o que as pessoas esperam. Promoções que parecem surpreendentes ou superam as expectativas têm mais probabilidade de ser compartilhadas. Pode ser porque a oferta em si excede as expectativas (por exemplo, o percentual de desconto é inacreditável) ou porque o modo como a oferta é estruturada faz com que assim pareça.

Outro fator que afeta a aparência valiosa das ofertas é a disponibilidade. De forma um tanto contrária à esperada pelo senso comum, fazer promoções na verdade pode torná-las mais eficientes. Assim como nos exemplos do Please Don't Tell e do Rue La La que discutimos no capítulo sobre Moeda Social, restringir a disponibilidade por meio da escassez e da exclusividade faz as coisas parecerem mais valiosas.

Veja o prazo ou a frequência. Colocar algo em liquidação pode fazer com que comprá-lo pareça um bom negócio. No entanto, se um produto está sempre em liquidação, as pessoas começam a ajustar suas expectativas. Em vez do preço total "regular" ser o ponto de referência, o preço de liquidação torna-se o preço esperado. Isso acontece com lojas de tapetes que sempre oferecem 70% de desconto. As pessoas passam a achar que "liquidação" é a regra e não a vê mais como uma promoção. O mesmo é valido inclusive para a palavra "liquidação". Embora mencionar que algo está em promoção possa aumentar a demanda, se muitos itens são listados nesse esquema em uma loja isso na verdade pode reduzir as compras.

Todavia, ofertas disponíveis apenas por tempo limitado parecem mais atraentes devido à restrição. Assim como tornar um produto escasso, o fato de que uma oferta não vai durar para sempre faz as pessoas sentirem que aquilo deve ser realmente bom.

Limites de quantidade funcionam da mesma forma. Os varejistas às vezes criam limites para a quantidade que cada consumidor pode adquirir de um item com desconto, o que funciona da mesma forma.

"Um por família" ou "No máximo três por cliente". Você pode até pensar que dificultar que as pessoas comprem tanto quanto querem impondo tais restrições prejudique a demanda. Mas na verdade tem efeito contrário, fazendo a promoção parecer um negócio ainda melhor. "Uau, se só posso levar um, deve ser porque a oferta é tão boa que a loja está com medo de que esgote. Melhor pegar um logo!" De fato, as pesquisas mostram que limite de quantidade para a compra aumenta as vendas em mais de 50%.

Até mesmo restringir quais pessoas terão acesso a determinada promoção pode fazer uma oferta parecer melhor. Algumas ofertas estão disponíveis para todo mundo. Qualquer um pode ir até a arara de descontos da Gap e pegar calças com desconto, assim como qualquer frequentador pode aproveitar a happy hour em seu pub local. Mas outras ofertas são customizadas, ou restritas a um certo conjunto de clientes. Hotéis recompensam clientes fiéis com tarifas "exclusivas" e restaurantes fazem "pré-aberturas" para determinada clientela.

Essas ofertas parecem especiais. Incitam o compartilhamento não só por aumentar a Moeda Social, mas também por fazerem o negócio parecer melhor. Como as restrições na quantidade ou no prazo, o simples fato de que nem todo mundo pode ter acesso a uma promoção faz com que ela pareça mais valiosa. Isso aumenta o Valor Prático, que, por sua vez, impulsiona o compartilhamento.

A Regra do 100

Outro fator de estruturação com impacto sobre o valor prático é a forma como as ofertas são apresentadas. Algumas são mostradas com o desconto em dólares, ou desconto absoluto (cinco dólares ou cinquenta dólares a menos). Outras, em percentual de desconto, ou desconto relativo (5% ou 50% a menos). Será que o fato de uma promoção ser estruturada com desconto absoluto ou relativo poderia afetar quão grande parece a vantagem?

Considere um desconto de 20% em uma camiseta de 25 dólares. A mesma redução pode ser representada por 20% ou cinco dólares. Qual delas faz parecer um melhor negócio?

Ou pense em um laptop de dois mil dólares. Uma mesma redução neste caso pode ser representada por 10% ou duzentos dólares. Alguns desses métodos de estruturar o desconto faz a oferta parecer melhor?

Os pesquisadores verificaram que essa resposta vai depender do preço original. Para produtos de baixo preço, como livros ou alimentos, as reduções de preço parecem mais significativas quando são estruturadas em termos percentuais. Vinte por cento a menos na camiseta de 25 dólares parece uma oferta melhor que cinco dólares a menos. Para produtos de preço alto, entretanto, vale o oposto. Com relação a laptops ou outros itens caros, estruturar a redução de preço em dólares é a opção mais vantajosa. O laptop parece um negócio melhor quando são duzentos dólares a menos em vez de 10%.

Um jeito simples de descobrir qual estrutura de desconto parecerá melhor é usar uma coisa chamada de Regra do 100.

Se o preço do produto é inferior a cem dólares, a Regra do 100 diz que descontos percentuais vão parecer maiores. Para uma camiseta de trinta dólares ou uma entrada de quinze dólares, um desconto de três dólares ainda é relativamente baixo. Mas em termos percentuais (10% ou 20%) o mesmo desconto parece muito maior.

Se o preço do produto é superior a cem dólares, vale o contrário. Descontos numéricos vão parecer maiores. Veja um pacote de viagem de 750 dólares ou o laptop de dois mil dólares. Enquanto um desconto de 10% pode parecer um número relativamente pequeno, ele imediatamente parece muito maior quando traduzido em dólares (75 ou duzentos dólares).

Assim, para decidir quanto uma promoção é realmente boa, ou como estruturar uma promoção para torná-la melhor, use a Regra do 100. Pense em quanto o preço cai em relação a $100 e como isso muda quando o desconto absoluto ou relativo parece mais atraente.

Um último tópico sobre promoções é que o valor prático é tanto mais efetivo quanto mais fácil for de ser visto pelas pessoas. Veja os cartões de fidelidade que você ganha na mercearia ou farmácia local. Esses cartões com certeza são úteis. Com eles, os clientes economizam dinheiro e, às vezes, até ganham brindes se fizerem compras suficientes. Mas um problema é que o valor prático não fica muito visível. A única informação que as pessoas obtêm sobre o quanto economizaram fica escondida entre meia dúzia de outras informações de um longo recibo. E, dado que a maioria das pessoas não mostra seus recibos para os outros, é improvável que alguém, exceto quem usou o cartão, veja quanto se economizou. Isso torna menos provável que a informação se prolifere.

Mas e se as lojas tornassem o valor prático mais fácil de ver? Poderiam colocar um placar no caixa que mostrasse aos outros na fila quanto a pessoa que está pagando economizou. Ou a loja poderia fazer soar uma campainha cada vez que alguém economizasse mais de 25 dólares. Isso faria com que acontecessem duas coisas. Primeiro, as pessoas teriam uma noção melhor de quanto poderiam economizar obtendo o cartão, encorajando quem ainda não o tivesse a fazer um. Segundo, permitiria às pessoas verem os valores significativos que alguns outros clientes conseguiram economizar, estimulando-as a transmitir essas histórias notáveis de valor prático. Conforme discutido no capítulo sobre Público, é difícil falar sobre algo que não se vê.

MAIS QUE DINHEIRO

Sou péssimo em investimentos. Opções demais, volatilidade diária demais e riscos demais. Preferiria guardar o dinheiro em uma caixa de papelão debaixo da cama do que colocá-lo em algum fundo mútuo que me fizesse perdê-lo. A primeira vez que comprei ações fui muito de leve. Escolhi duas ou três que pareciam bons investimentos de longo prazo por serem marcas fortes e tentei ficar nisso.

Mas minha curiosidade falou mais alto. Todos os dias eu conferia freneticamente como cada ação estava indo. Um dólar acima hoje? Grande sucesso! Queda de 35 centavos no dia seguinte?

Desânimo inconsolável, pensando de novo em desistir dos investimentos para sempre.

Desnecessário dizer que eu precisava de ajuda. Assim, quando chegou a hora de colocar dinheiro no meu plano de aposentadoria, escolhi alguns fundos de índice seguros que acompanham o mercado de ações.

Pouco depois, a Vanguard, firma que gerencia meu plano de aposentadoria, enviou-me um e-mail sucinto perguntando se eu gostaria de receber sua newsletter mensal, a *MoneyWhys*. Como a maioria das pessoas, tento evitar incluir meu e-mail em novas listas de mala direta, mas essa pareceu bastante útil. As últimas dicas em impostos, respostas para perguntas comuns sobre investimentos e uma resposta (ou pelo menos uma opinião) sobre a antiquíssima pergunta a respeito de o dinheiro poder mesmo comprar a felicidade. Assinei.

Agora, uma vez por mês a Vanguard me envia um e-mail curto com informações úteis sobre gestão financeira. Em um mês foram dicas sobre o que o seguro residencial realmente cobre. Em outro, ideias a respeito de como usar o PC para acompanhar as finanças pessoais.

Para ser honesto, não leio tudo que a Vanguard manda (desculpe, Vanguard), mas acabo encaminhando muito do que leio para pessoas que sei que vão achar isso útil. Enviei o texto sobre seguro residencial para um colega que acabara de comprar uma casa. Encaminhei o artigo sobre acompanhamento das finanças pessoais para um amigo que estava tentando tornar-se mais responsável em termos fiscais. A Vanguard embrulha lindamente o seu conhecimento em um pacotinho compacto de informação útil, e o valor prático me fez passá-lo adiante. E nisso estou divulgando a Vanguard e sua competência em investimentos.

Informação útil, portanto, é outra forma de valor prático. Ajudar as pessoas a fazerem coisas que elas querem fazer, ou encorajá-las a fazerem o que deveriam. De modo mais rápido, melhor e mais fácil.

Conforme discutimos no capítulo sobre Emoção, nossa análise da lista dos Mais Enviados por E-Mail do *New York Times* verificou que artigos sobre saúde e educação estavam entre os mais compartilhados. Receitas e resenhas de restaurantes promissores também. Um dos motivos é que esses tipos de artigo fornecem informação útil. A seção de saúde sugere soluções para pessoas com perda de audição e técnicas para estimular a aptidão mental na meia-idade. A de educação, programas úteis para adolescentes e *insights* sobre o processo de admissão na faculdade. Compartilhar esse tipo de conteúdo com os outros lhes possibilita comer, viver e aprender melhor.

Olhe o conteúdo de e-mail que você recebeu nos últimos meses e verá padrões semelhantes. Nos EUA, poderia salientar os artigos sobre as marcas de protetor solar mais bem cotadas pelo *Consumer Reports*, dicas para se recuperar rapidamente depois de fazer exercício ou sugestões de entalhes bacanas em abóbora na época do Halloween. Todas essas coisas são *úteis*. Conselho prático é conselho compartilhável.

Ao se pensar por que determinado conteúdo útil tem mais compartilhamento, dois pontos são dignos de nota. O primeiro é como a informação é embalada. A Vanguard não envia e-mails desconexos de quatro páginas com 25 links de conselhos sobre 15 tópicos diferentes; prefere uma nota curta de uma página com um artigo de destaque e três ou quatro links principais abaixo dele. É fácil de ver quais são os pontos principais, e, se você quiser saber mais sobre eles, basta clicar nos links. Muitos dos artigos mais virais do *New York Times* e de outros sites têm uma estrutura semelhante. Cinco maneiras de perder peso. Dez dicas de flerte para o Ano-Novo. Da próxima vez que estiver esperando na fila do caixa do supermercado, dê uma olhada nas revistas e verá a mesma ideia sendo aplicada. Listas curtas focadas em um tópico chave.

Um fabricante de cosméticos fez um aplicativo de iPhone útil para quem viaja a trabalho. Além de fornecer informação sobre a condição climática nas localidades, também oferece conselhos especializados para o cuidado da pele adequado às condições locais. Umidade, chuva e qualidade do ar afetam a pele e o cabelo, de modo que o aplicativo informa a maneira certa de agir. Essa informação de valor prático não apenas é útil, como também demonstra o conhecimento e a especialização da companhia no setor.

O segundo ponto é o público. Algumas histórias ou informações têm mais visibilidade que outras. Nos Estados Unidos pelo menos, mais gente acompanha futebol profissional do que polo aquático. De modo semelhante, você provavelmente tem mais amigos que gostam de restaurantes que servem comida brasileira do que de restaurantes de especialidade etíope.

Você pode pensar que um conteúdo com um público maior tem maior probabilidade de ser compartilhado. Um artigo sobre futebol deveria ser mais compartilhado que um sobre polo aquático; uma resenha sobre um novo restaurante local deveria ser mais repassada que uma resenha sobre um estabelecimento etíope. Afinal, se as pessoas têm muitos amigos com quem poderiam compartilhar o artigo, então ele não acabaria chegando a mais gente?

O problema dessa suposição, porém, é que só porque as pessoas *podem* compartilhar com mais gente não significa que elas irão fazê-lo. Na verdade, conteúdo mais restrito pode ter maior probabilidade de ser compartilhado porque faz as pessoas se lembrarem de um amigo ou parente específico e se sentirem mais impelidas a repassá-lo. Você pode ter muitos amigos que gostem de comida ou futebol. Porém, como tanta gente está interessada no mesmo tipo de coisa, quando você depara com um conteúdo desses nenhuma pessoa em especial lhe vem à mente. Em contraste, você pode ter apenas um amigo que se interesse por restaurantes etíopes ou polo aquático, então, se ler um artigo sobre esses assuntos, na mesma hora vai pensar nele. E, por aquilo parecer tão singularmente perfeito para ele, você sente que *precisa* compartilhá-lo.

Assim, embora conteúdo de ampla relevância possa ser mais compartilhado, o fato é que conteúdo de relevância óbvia para uma plateia restrita pode ser mais viral.

UMA NOTA SOBRE VERACIDADE

Você pode ter ouvido falar que vacinas causam autismo. Se ouviu, não é o único. Em 1998, foi veiculado um artigo em uma publicação médica sugerindo que a imunização contra sarampo, caxumba e rubéola poderia causar autismo em crianças. Notícias ligadas à saúde espalham-se depressa, em especial quando se referem a crianças, e em pouco tempo inúmeras pessoas falavam sobre os possíveis aspectos negativos das vacinas. Em consequência, os índices de vacinação infantil diminuíram.

Tudo isso seria bom se a ligação entre vacinas e autismo fosse verdadeira. Mas não é. Não existe evidência científica de que elas causem autismo. O artigo original revelou-se uma fraude. O médico que o assinou manipulou as evidências, ao que parece por conflito de interesses e, após ser considerado culpado de grave falta profissional, perdeu a licença médica. Só que, embora a informação fosse falsa, muita gente compartilhou.

O motivo é o valor prático. As pessoas não estavam tentando compartilhar coisas falsas, apenas ouviram algo que julgaram útil e quiseram deixar os filhos dos outros a salvo. Mas muitos ouviram a notícia de que o artigo original não tinha fundamento, por isso continuaram a compartilhá-lo. Nosso desejo de propagar coisas úteis é tão poderoso que pode fazer com que até ideias falsas ganhem destaque. Às vezes o impulso de ajudar pode surtir efeito contrário.

Assim, da próxima vez que alguém lhe falar de uma cura milagrosa ou advertir sobre os riscos de um determinado alimento ou comportamento para a saúde, tente verificar a informação de forma independente antes de passá-la adiante. Um comunicado falso pode se espalhar tão depressa quanto a verdade.

Valor prático tem a ver com ajudar. Este capítulo discutiu a mecânica do valor e a psicologia das negociações, mas é importante lembrar por que em primeiro lugar as pessoas compartilham esse tipo de informação. As pessoas gostam de ajudar os outros. Nos damos ao trabalho de oferecer conselho ou enviar uma notícia que melhore a vida alheia. Claro que parte disso pode ser egoísmo. Achamos que estamos certos e não conseguimos deixar de dar palpite na vida alheia. Mas nem tudo tem a ver conosco. Também é relativo a altruísmo, a bondade inerente das pessoas. Nos importamos com os outros e queremos tornar suas vidas melhores.

Dos seis princípios de contágio que discutimos neste livro, o Valor Prático talvez seja o mais fácil de aplicar.

Alguns produtos e ideias já têm bastante Moeda Social, mas embuti-la em um vídeo sobre um liquidificador requer certa energia e certa criatividade. Descobrir como criar Gatilhos também exige algum esforço, assim como evocar Emoção. Mas encontrar Valor Prático não é difícil. Quase todo produto ou ideia imaginável possui algo de útil. Seja economizar o dinheiro das pessoas, deixá-las mais felizes, melhorar sua saúde ou poupar-lhes tempo – tudo isso são novidades que você pode usar. Assim, pensar qual o primeiro motivo para as pessoas gravitarem para nosso produto ou ideia nos dará uma boa noção do valor prático subjacente.

A parte mais difícil é se sobressair. Existem inúmeros restaurantes bons e sites úteis, de modo que precisamos fazer nosso produto ou nossa ideia destacar-se. Precisamos realçar o valor incrível e usar a Regra do 100. Como a Vanguard, temos de empacotar nosso conhecimento e nossa competência de forma que as pessoas informem-se sobre nós enquanto o repassam. Precisamos deixar claro por que nosso produto ou nossa ideia é tão útil a ponto de as pessoas simplesmente terem que divulgá-lo. Novidades que você possa usar.

6. Histórias

A guerra grassava feroz havia dez longos anos sem sinal de que fosse acabar. De acordo com a lenda, Ulisses concebeu um plano astucioso para dar fim ao cerco infrutífero. Os gregos construíram um cavalo gigante de madeira e dentro dele esconderam seus melhores guerreiros. O resto do exército então foi embora, fingindo retornar à pátria, deixando o cavalo monumental na praia.

Os troianos acharam o cavalo e o carregaram para Troia como símbolo de sua vitória. Amarraram cordas em volta do pescoço do animal, e dúzias de homens colocaram enormes toras rolantes sob o artefato de madeira para puxá-lo lentamente desde a praia. Outros trabalharam para remover o portão, de modo que a imensa escultura pudesse ser arrastada para dentro das muralhas da cidade.

Quando a estátua estava lá dentro, os troianos celebraram o final do conflito de uma década. Decoraram os templos com folhagens, desencavaram os jarros de vinho sacrifical e dançaram para comemorar o término da provação.

Mas naquela noite, enquanto a cidade jazia inconsciente no torpor da bebedeira, os gregos saltaram de seu esconderijo. Deslizaram para o solo, calaram as sentinelas e abriram os enormes portões da cidade. O resto do exército grego navegou de volta sob o manto da escuridão e logo juntou-se a eles, transpondo com facilidade os portões que haviam tentado arrombar infrutiferamente por tantos anos.

A cidade fora capaz de fazer frente a uma década de batalha, mas não pôde resistir a um ataque iniciado em seu interior. Uma vez lá dentro, os gregos destruíram a cidade, pondo fim de vez à Guerra de Troia.

A história do Cavalo de Troia tem sido recontada ao longo de milhares de anos. Cientistas e historiadores estimam que a batalha tenha ocorrido por volta de 1170 a.C., mas a história só foi escrita muitos anos depois. Por séculos a narrativa foi transmitida de forma oral como um poema épico, declamado ou cantado.

A história soa como um reality show moderno. É cheia de reviravoltas, incluindo vendetas pessoais, adultério e traição. Por meio de uma potente combinação de drama, romance e ação, prende o interesse dos ouvintes.

Mas ela também carrega uma mensagem subjacente: "Cuidado com gregos que trazem presentes." Uma interpretação mais genérica seria: "Nunca confie no inimigo, mesmo quando ele parecer amistoso." De fato, é exatamente *quando* ele faz esses movimentos que você deve ficar especialmente desconfiado. Portanto, tal conto é mais do que uma simples história divertida. Também ensina uma importante lição.

Ainda assim, se Virgílio e Homero quisessem apenas ensinar uma lição às pessoas, não poderiam tê-lo feito de forma mais eficiente? Não poderiam ter ido direto ao ponto em vez de compor um poema épico com centenas de versos?

Claro. Mas a lição teria tido o mesmo impacto? Provavelmente não.

Ao revesti-la com uma história, esses primeiros autores garantiram que ela fosse passada adiante – e talvez até mais acreditada do que se as palavras da lição fossem faladas de forma simples e direta. Isso acontece porque as pessoas não pensam em termos de informação. Pensam em termos de *narrativa*. Porém, enquanto enfocam a história em si, a informação vai de carona.

HISTÓRIAS COMO VEÍCULOS

Histórias são a forma original de entretenimento. Imagine que você fosse um cidadão grego em 1000 a.C. Não havia internet. Nem magazines de esportes ou noticiário das 6h. Nada de rádio ou jornais. Assim, se quisesse distração, as histórias seriam o caminho. O Cavalo de Troia, a *Odisseia* e outros contos famosos eram o entretenimento da época. As pessoas reuniam-se em torno de uma fogueira ou se sentavam em um anfiteatro para ouvir essas narrativas serem contadas repetidamente.

Narrativas são intrinsecamente mais envolventes que fatos básicos. Têm começo, meio e fim. Se a pessoa é fisgada no comecinho, vai querer saber de todo o resto. Quando ouve alguém contar uma boa história, você se liga em cada palavra: quer saber se a pessoa perdeu o avião ou o que ela fez com uma casa cheia de crianças histéricas de 9 anos de idade. Você pegou uma trilha e quer saber onde ela vai dar. Até lá, sua atenção estará capturada.

Hoje existem milhares de opções de entretenimento, mas nossa tendência de contar histórias permanece. Para isso, nos reunimos em torno de fogueiras proverbiais – atualmente o bebedouro ou uma noitada entre amigos. Falamos sobre nós e as coisas que nos aconteceram recentemente. A respeito de nossos amigos e outras pessoas que conhecemos.

As pessoas contam histórias pelos mesmos motivos que compartilham o boca a boca. Algumas narrativas têm a ver com Moeda Social. As pessoas contam a história de passar por uma cabine telefônica para entrar no Please Don't Tell porque isso as faz parecer descoladas e por dentro das coisas. Outras são impulsionadas pela Emoção (alta excitação), como quando contam sobre o *Will It Blend?* porque ficam maravilhadas com um liquidificador que consegue picar bolinhas de gude ou um iPhone. E o Valor Prático também desempenha um papel. Todos compartilham a história de como os cachorros do vizinho ficaram doentes depois de comer um certo tipo de brinquedo mastigável porque não querem que aconteça a mesma coisa com o seu cachorro.

As pessoas estão tão acostumadas a contar histórias que criam narrativas até quando realmente não é preciso. Veja a crítica a seguir, tirada de um site. Supõe-se que seja sobre a qualidade de algum produto que relate se uma câmera digital funciona bem e se o zoom é tão bom quanto a companhia sugere. Mas um conteúdo que deveria ser basicamente informativo com frequência acaba embutido em uma narrativa de fundo:

Meu filho acabara de completar 8 anos, de modo que estávamos planejando nossa primeira viagem à Disney em julho passado. Precisávamos de uma câmera digital para registrar o acontecimento, então compramos essa porque meu amigo a recomendou. O zoom é ótimo. Conseguimos facilmente fazer imagens nítidas do Castelo da Cinderela mesmo de longe.

É tão comum relatarmos experiênicas que fazemos isso mesmo quando uma simples cotação ou opinião seria o bastante.

Assim como o próprio Cavalo de Troia, as histórias são mais do que parecem. Claro que o invólucro externo de uma história – poderíamos chamá-lo de enredo superficial – prende a sua atenção e atrai seu interesse. Contudo, remova o exterior e provavelmente encontrará alguma coisa escondida ali dentro. Por baixo dos amantes desditosos e heróis possantes, geralmente há outra coisa sendo transmitida.

As histórias transportam mensagens. Uma lição ou moral. Informação ou mensagem de vida. Veja a famosa história dos *Três Porquinhos*. Três irmãos saem de casa em busca de um lugar no mundo. O primeiro porquinho constrói rapidamente uma casa de palha. O segundo usa gravetos. Ambos erguem suas casas o mais rápido possível para poder sair e brincar o resto do dia. O terceiro porquinho, porém, é mais disciplinado. Ele emprega tempo e esforço para cuidadosamente construir sua casa com tijolos enquanto os irmãos divertem-se à sua volta.

Certa noite, um grande lobo malvado aparece à procura de comida. Vai até a casa do primeiro porquinho e diz as palavras tão conhecidas pelas criancinhas: "Porquinho, porquinho, deixe-me entrar". Quando o porquinho diz não, o lobo derruba a casa com um assopro. Faz a mesma coisa com a casa de gravetos. No entanto, quando o vilão tenta fazer o mesmo com a casa do terceiro porquinho, não consegue. O lobo arfa e bufa, mas sem sucesso porque a casa era feita de tijolos.

E essa é a moral da história. Vale a pena esforçar-se. Use o tempo necessário para fazer as coisas direito. Você pode não se divertir muito na mesma hora, mas no fim verá que valeu a pena.

Lições ou moral também estão embutidas em milhares de outros contos de fada, fábulas e lendas urbanas. *O menino que gritava lobo* adverte sobre os perigos da mentira. *Cinderela* mostra que ser bom para os outros compensa. As peças de Shakespeare trazem lições valiosas sobre caráter e relacionamentos, poder e loucura, amor e guerra. São lições complexas, mas instrutivas.

As histórias comuns que contamos uns aos outros todo dia também contêm informação.

Veja a história do casaco que meu primo trouxe de Lands' End. Ele mudou-se da Califórnia para a Costa Leste há uns anos e, nos preparativos para seu primeiro inverno de verdade, foi a uma loja de departamentos sofisticada e comprou um belo sobretudo. O casaco era um daqueles modelos três-quartos de lã que os homens costumam usar sobre o terno. Vestia bem, a cor era perfeita, e meu primo ficou se sentindo um inglês elegante.

Havia apenas um problema: não era quente o bastante. Era ótimo para quando a temperatura estava em dez ou até uns cinco graus, mas quando baixava para um grau negativo o frio infiltrava-se diretamente através do casaco até os ossos de meu primo.

Depois de passar um inverno bem arrumado, mas congelando todo dia a caminho do trabalho, ele decidiu que estava na hora de ter um verdadeiro casaco de inverno. E levou isso a sério mesmo, pois comprou um daqueles modelos em pena de ganso nos quais você parece estar vestido com um saco de dormir – o tipo de casaco bastante usado no Leste e no Centro-Oeste, mas nunca visto na Califórnia. Assim, foi para a internet, encontrou uma bela oferta na Lands' End e comprou um casacão de pena classificado para 35 graus negativos. Quente o bastante para encarar até o mais gélido inverno da Costa Leste.

Meu primo gostou mesmo do agasalho, que de fato esquentava bastante. Mas na metade do inverno o zíper estragou. Soltou-se do forro. Ele ficou arrasado. Havia comprado o casaco há poucos meses, e já dera defeito. Quanto custaria o conserto? E quanto tempo teria que esperar antes de pegá-lo de volta?

Isso foi na metade de janeiro, período não muito ideal para andar por aí sem um casaco de inverno.

Então ele telefonou para a Lands' End.

Meu primo preparou-se para a resposta glacial que estava acostumado a receber do pessoal de atendimento ao consumidor. "Lamentamos muito que o produto não esteja funcionando", os funcionários em geral dizem, "mas não é culpa nossa. Está fora da garantia, ou você tentou fazer algo diferente do normal. Todavia ficaremos felizes em consertar pelo dobro do preço do produto, ou mandar alguém para verificar. Contando que você possa ficar em casa em vez de ir para o trabalho durante aquele período de três horas em que podemos aparecer ou não. Oh, e a propósito, o roteiro que os consultores da marca redigiram lembra-nos de dizer a você que *realmente* apreciamos sua iniciativa".

No entanto, para surpresa dele, a funcionária do atendimento ao consumidor da Lands' End disse algo inteiramente diferente: "Conserto?", ela perguntou. "Vamos enviar um novo pelo correio." "Quanto vai custar?", perguntou meu primo, tenso. "É grátis", disse ela, "e vamos mandar em dois dias, de modo que você não tenha que esperar. Esse inverno está muito rigoroso para ser suportado com um casaco estragado".

Uma troca grátis enviada imediatamente caso um produto estrague? Uau! Isso é quase impossível nesses tempos em que "o consumidor está sempre errado". Atendimento ao consumidor notável. Atendimento ao consumidor do jeito que deveria ser. Meu primo ficou tão impressionado que teve que me contar o que havia acontecido.

A experiência dele rendeu uma boa história. Além disso, ao olhar de perto, também existe uma tremenda quantidade de informação útil oculta na narrativa: (1) sobretudos são muito bonitos, mas realmente não são quentes o bastante para o rigor do inverno da Costa Leste; (2) casacões fazem você parecer uma múmia, mas valem a pena se você quer se manter aquecido; (3) a Lands' End produz um casaco de inverno que realmente aquece; (4) também possui um excepcional serviço de atendimento ao consumidor; (5) se algo der errado, a Lands' End vai consertá-lo. Várias informações preciosas em uma história enganosamente simples.

O mesmo é válido para a maioria das histórias que as pessoas nos contam. Como evitamos o engarrafamento do trânsito, ou como a lavagem a seco conseguiu limpar nossa camisa branca pingada de óleo e deixá-la como nova. Essas histórias contêm informação útil: um bom trajeto a ser feito caso a autoestrada esteja obstruída; uma ótima lavagem a seco se você precisar remover manchas difíceis.

Histórias, portanto, podem atuar como veículos, transportadoras que ajudam a transmitir informação para os outros.

APRENDENDO A PARTIR DE HISTÓRIAS

As histórias são uma fonte importante de aprendizado cultural que nos ajudam a compreender o mundo. Em um nível elevado, esse aprendizado pode ser a respeito de normas e padrões de um grupo ou uma sociedade. Como um bom funcionário deve se comportar? O que significa ser uma pessoa de boa índole? Ou em um nível mais elementar: existe um bom mecânico que não cobre caro demais?

Além das histórias, pense em outras formas pelas quais as pessoas poderiam obter essa informação. Tentativa e erro poderia funcionar, mas seria extremamente dispendioso e demorado. Imagine se encontrar um mecânico honesto exigisse levar o carro a uma dúzia de diferentes locais pela cidade e mandar fazer o serviço em cada um deles. Seria exaustivo (e custaria muito dinheiro).

Por outro lado, poderia se tentar a observação direta, mas isso também é difícil. Seria preciso insinuar-se para convencer os mecânicos das diferentes oficinas a deixarem você assistir ao que eles fazem e a dizerem quanto cobram. Adivinhe a chance de isso dar certo.

Por fim pode-se conseguir a informação por meio de anúncios. Mas estes nem sempre são dignos de confiança, e as pessoas geralmente são céticas a respeito de tentativas de persuasão. A maioria dos anúncios de oficinas mecânicas vai dizer que elas têm preços ótimos e fazem um bom serviço, mas sem conferir é difícil ter certeza.

As histórias resolvem esse problema. Proporcionam uma forma rápida e fácil de se obter muito conhecimento de maneira vívida e atraente. Uma boa história sobre um mecânico que resolveu o problema sem cobrar caro vale por dúzias de observações e anos de tentativa e erro. Às vezes as histórias poupam tempo e aborrecimento e dão a informação de que se precisa de um jeito fácil de se lembrar.

Você pode pensar nas histórias como fornecedoras de provas por meio de analogia. Não há como ter certeza de que eu, caso compre algo da Lands' End, vá ter o mesmo atendimento maravilhoso que meu primo recebeu do serviço ao consumidor. Mas o simples fato de ter acontecido a alguém que me é próximo faz com que eu sinta que há uma boa chance de que aconteça comigo também.

As pessoas também são menos propensas a argumentar contra histórias do que contra alegações publicitárias. Os representantes da Lands' End poderiam dizer que eles têm um ótimo atendimento ao consumidor, mas, conforme discutimos antes, o fato de que estão tentando vender alguma coisa dificulta que se acredite neles. É mais difícil argumentar contra histórias pessoais.

Primeiro, é difícil discordar de uma coisa específica que tenha acontecido com uma determinada pessoa. Alguém vai dizer a meu primo: "Não, acho que você está mentindo, não tem como a Lands' End ser tão bacana"? Pouco provável.

Segundo, ficamos tão enredados no drama do que aconteceu com fulano de tal que não temos recursos cognitivos para argumentar. Nos empenhamos tanto em seguir a narrativa que não temos energia para questionar o que é dito. Por isso, no fim ficamos muito mais propensos a ser persuadidos.

As pessoas não gostam de parecer anúncios ambulantes. A rede Subway oferece sete sanduíches com menos de seis gramas de gordura. Mas ninguém vai chegar em um amigo e simplesmente repassar essa informação. Não seria apenas esquisito, ficaria fora de contexto. Claro que esse dado tem valor prático se alguém está tentando perder peso, mas, a menos que o tema da conversa seja perda de peso ou a situação estimule as pessoas a pensarem em maneiras de perder peso, ele não será mencionado naturalmente. Portanto, o fato de a Subway ter inúmeras opções com baixo teor de gordura pode não ser mencionado com tanta frequência.

Compare isso com a história de Jared Fogle. Ele perdeu 110 quilos comendo sanduíches da Subway. Maus hábitos alimentares e falta de exercício levaram Jared a se tornar uma bolota de 190 quilos na faculdade. Ele era tão pesado que escolhia suas aulas com base em a sala ter assentos grandes o bastante para ele ficar confortável, e não por gostar da matéria.

Porém, depois de seu colega de quarto observar que sua saúde estava piorando, Jared resolveu se mexer. Então começou uma "dieta Subway": quase todo dia almoçava um sanduíche vegetariano e jantava um de peito de peru. Depois de três meses desse regime autoimposto, ele havia perdido quase 50 quilos.

Mas Jared não parou por aí. Ele manteve sua dieta. Em breve o comprimento de sua cintura havia recuado de gigantescos 152 centímetros para um tamanho normal de 86 centímetros. Ele perdeu todo aquele peso graças à Subway.

A história de Jared é tão envolvente que as pessoas a mencionam mesmo quando não estão falando sobre perda de peso. A quantidade de peso que ele perdeu é impressionante, mas ainda mais espantoso é o fato de tê-la perdido comendo sanduíches da Subway. Um cara perde 110 quilos comendo fast-food? Só essa sinopse já basta para atrair a atenção das pessoas.

A história é compartilhada por muitos dos motivos sobre os quais falamos nos capítulos anteriores. É notável (Moeda Social), evoca surpresa e espanto (Emoção) e fornece informação útil sobre fast-food saudável (Valor Prático).

As pessoas não falam sobre Jared porque querem ajudar a Subway, mas mesmo assim a rede de lanchonetes beneficia-se por fazer parte da narrativa. Os ouvintes ficam sabendo de Jared, mas também tomam conhecimento da Subway ao longo do processo. Ficam sabendo que (1) embora a Subway possa parecer fast-food, na verdade oferece uma série de opções saudáveis; (2) tão saudáveis que se pode perder peso comendo isso; (3) muito peso; (4) além do mais, dá para se comer apenas sanduíches da Subway por três meses e não enjoar. Assim, a comida deve ser bastante gostosa. Os ouvintes aprendem tudo isso sobre a Subway, muito embora as pessoas contem a história por causa de Jared.

E essa é a magia das histórias. *A informação viaja disfarçada de conversa fiada.*

CONSTRUA UM CAVALO DE TROIA

As histórias, portanto, oferecem uma forma fácil de se falar sobre produtos e ideias. A Subway pode ter sanduíches com baixo teor de gordura, e a Lands' End pode ter um ótimo serviço de atendimento ao consumidor, mas, sem gatilhos em uma conversa, as pessoas precisam de um motivo para mencionar a informação. Boas histórias fornecem o motivo. Elas proporcionam uma espécie de cobertura psicológica que permite falar-se de um produto ou ideia sem parecer um anúncio.

Então como podemos usar histórias para fazer as pessoas falarem?

Precisamos construir nosso Cavalo de Troia – uma narrativa que será trasportada de uma pessoa para outra, falando de um produto ou ideia no meio disso.

Tim Piper não tinha irmãs. E cresceu frequentando um escola só de rapazes, de modo que sempre achou um pouquinho ridículo que tantas de suas amigas se importassem com beleza. Elas estavam sempre preocupadas porque o cabelo era liso demais, os olhos eram muito sem vida, ou a pele não era clara o bastante. Piper não entendia. Elas pareciam bem bonitas para ele.

Contudo, após entrevistar dezenas de garotas, Piper começou a perceber que os meios de comunicação eram os culpados. A publicidade e a mídia em geral ensinavam às moças que havia algo de errado com elas. Que elas precisavam de reparos. E, depois de anos sendo bombardeadas com essas mensagens, as mulheres começaram a acreditar nelas.

O que ajudaria as mulheres a perceberem que esses anúncios eram falsos? Que as imagens mostradas não refletiam a realidade?

Certa noite, sua namorada na época estava se maquiando para sair quando ele teve um estalo. Ele percebeu que as garotas precisavam ser expostas ao "antes" do antes do "depois". Que elas tinham de ter noção do aspecto das modelos antes da maquiagem, do penteado, dos retoques e do Photoshop entrarem de cabeça para deixá-las "perfeitas".

Então ele criou um pequeno filme.

Stephanie olha fixamente para a câmera e acena com a cabeça para a equipe informando que está pronta para começar. Ela é bonita, mas não a ponto de se destacar na multidão. O cabelo é louro-escuro, repicado e relativamente liso. A pele é boa, mas algumas manchas estragam-na aqui e ali. Ela tem a aparência de uma moça comum – sua vizinha, sua amiga, sua filha.

Acende-se uma luz forte, e o processo tem início. Enquanto olhamos, maquiadores escurecem os olhos de Stephanie e realçam seus lábios com gloss. Aplicam base na pele e blush para colorir as bochechas. Arrumam as sobrancelhas e alongam os cílios. Penteiam o cabelo, fazendo cachos e dando volume.

Então aparece o fotógrafo com a câmera. Tira dúzias de fotos. Ventiladores são ligados para o cabelo parecer naturalmente revolto. Stephanie alterna entre sorrisos e olhares provocantes para a câmera. O fotógrafo enfim capta uma imagem de que gosta.

Mas obter a foto perfeita é só o começo. A seguir vem o Photoshop. A imagem de Stephanie é carregada em um computador e começa a se transformar diante de nossos olhos. Os lábios são inflados. O pescoço é afinado e alongado. Os olhos são aumentados. Essas são apenas algumas das várias modificações feitas.

Você agora está fitando uma foto de uma supermodelo. À medida que a câmera recua, você pode ver que a imagem foi colocada no outdoor de uma campanha de maquiagem. A tela fica escura, e aparecem pequenas letras brancas. "Não é à toa que a nossa percepção de beleza está distorcida."

Uau. É um clipe poderoso. Um lembrete significativo de tudo que realmente acontece nos bastidores da indústria da beleza.

Mas, além de ser um excelente assunto de conversa, é também um sagaz Cavalo de Troia para os produtos da Dove.

A mídia em geral e a indústria da beleza em particular tendem a pintar uma imagem torta das mulheres. As modelos normalmente são altas e esqueléticas. As revistas mostram mulheres com peles impecáveis e dentes perfeitos. Os anúncios proclamam que determinados produtos podem transformar você para melhor. Rosto mais jovem, lábios mais carnudos, pele mais macia.

Não causa surpresa que essas mensagens tenham impacto muito negativo na forma como as mulheres se veem. Apenas 2% delas descrevem-se como bonitas. Mais de dois terços acreditam que a mídia estabeleceu um padrão de beleza irreal que elas jamais terão condições de atingir. Não importa quanto tentam. Essa sensação de não corresponder às expectativas afeta até meninas de pouca idade. As morenas querem ser loiras. Ruivas odeiam suas sardas.

O vídeo de Piper, intitulado *Evolução*, oferece um olhar dos bastidores sobre o que rola durante a produção das imagens com que somos bombardeados todos os dias. Lembra às pessoas que essas mulheres estonteantes não são reais. São fantasiosas, uma ficção apenas vagamente baseada em gente de verdade. Inventada com o uso de toda a magia que a edição digital pode proporcionar. O vídeo é brutal e chocante, bem como instigante.

Mas não foi patrocinado por cidadãos preocupados ou por um grupo fiscalizador da indústria. Piper o fez em conjunto com a Dove, fabricante de produtos de saúde e beleza, como parte da *Campanha pela Real Beleza*. Foi um esforço da Dove para celebrar as variações físicas naturais que todos nós temos e com isso inspirar as mulheres a ficarem confiantes e confortáveis consigo mesmas. Outro anúncio de sabonete apresentou mulheres de verdade de todos os tamanhos e cores em vez de as modelos esquálidas que as pessoas estão acostumadas a ver.

Não é de admirar que a campanha tenha deflagrado uma enorme discussão. O que significa ser bonita? Como os meios de comunicação estão moldando essa percepção? O que podemos fazer para melhorá-la?

A campanha criou mais do que uma simples controvérsia. Além de tornar o assunto mais Público e dar às pessoas uma desculpa para falarem de um tema que do contrário seria privado, também as fez pensar e falar sobre a Dove.

A empresa foi elogiada por usar gente de verdade em suas campanhas e por fazer as pessoas falarem desse assunto complicado, porém importante. E *Evolução*, que custou pouco mais de cem mil dólares para ser feito, obteve mais de 16 milhões de visualizações. Rendeu à empresa centenas de milhões de dólares. O vídeo ganhou numerosos prêmios da indústria e mais do que triplicou o tráfego do site da Dove gerado pelo anúncio veiculado no Super Bowl de 2006. A Dove saboreou um aumento de vendas na casa de dois dígitos.

Evolução foi largamente compartilhado porque a Dove associou-se a algo de que as pessoas já queriam falar: as normas irreais de beleza. É um assunto altamente emocional, mas tão controverso que as pessoas poderiam ter medo de trazê-lo à tona se por outros meios. *Evolução* trouxe-o a público. Permitiu que pessoas expressassem suas queixas e pensassem em soluções. E a marca beneficiou-se ao longo disso; fez as pessoas começarem uma conversa sobre normas de beleza – mas tornou-se parte da discussão. Ao criar uma história emocional, a Dove criou um veículo que levou sua marca de carona.

E isso nos leva à história de Ron Bensimhon.

TORNANDO A VIRALIDADE VALIOSA

Em 16 de agosto de 2004, o canadense Ron Bensimhon tirou suas calças com cuidado e caminhou até a beira do trampolim de três metros. Ele havia dado saltos daquela altura muitas vezes antes, mas nunca durante um evento de tal magnitude. Eram os Jogos Olímpicos de Atenas. O maior palco do mundo para os esportes e auge das competições atléticas. Mas Ron não parecia intimidado. Deixou o nervosismo de lado e ergueu as mãos bem acima da cabeça. Enquanto a multidão urrava, ele saltou da ponta da prancha e deu uma barrigada.

Uma barrigada? Nas Olimpíadas? Com certeza Ron deve ter ficado arrasado. No entanto, ao emergir da água ele parecia calmo, até mesmo feliz. Nadou por uns instantes, exibindo-se para o público, e a seguir foi lentamente para a beira da piscina, onde foi recebido por inúmeros funcionários das Olimpíadas e seguranças.

Ron tinha invadido as Olimpíadas. Ele não estava na equipe de natação canadense. De fato, nem era atleta olímpico. Ele se autoproclamava o furão mais famoso do mundo e havia invadido as Olimpíadas como parte de uma jogada publicitária.

Quando Ron pulou do trampolim, não estava nu, mas tampouco vestia calções de banho. Usava um tutu azul e meia-calça branca com bolinhas. E estampado em seu peito estava o nome de um cassino da internet, o GoldenPalace.com.

Aquela não foi a primeira jogada publicitária do Golden Palace (embora a empresa tenha dito que a armação de Ron foi feita sem o seu conhecimento). Em 2004 o cassino deu um lance de 28 mil dólares no eBay por um queijo quente que algumas pessoas acreditavam exibir uma imagem da Virgem Maria. Em 2005, deu 15 mil dólares para uma mulher trocar o próprio nome para GoldenPalace.com. Mas a jogada com o "pateta da piscina", como Bensimhon foi chamado, foi uma das maiores. Milhões de pessoas estavam assistindo, e a história foi veiculada no mundo inteiro. Também rendeu uma enorme quantidade de comentário boca a boca. Alguém invadir os Jogos Olímpicos e saltar em uma piscina de tutu? Que história. Deveras notável.

Contudo, os dias foram passando e as pessoas não falaram do cassino. Claro que algumas que viram o salto de Bensimhon acessaram o site para tentar descobrir o que estava acontecendo. Mas a maioria das que compartilharam a história falou da proeza, não do site. Especularam se a interrupção teria distraído os saltadores chineses, que erraram o salto final depois da brincadeira e perderam a medalha de ouro. Falaram sobre a segurança nas Olimpíadas e como alguém conseguia infiltrar-se com tanta facilidade em um evento tão importante. E também a respeito do julgamento de Bensimhon e se ele cumpriria pena na cadeia.

Só não falaram sobre o GoldenPalace.com. Por quê?

Especialistas de marketing citam o "pateta da piscina" como um dos piores fracassos do marketing de guerrilha de todos os tempos. Em geral ridicularizam a armação por ela ter atrapalhado a competição e arruinado o momento de atletas que haviam treinado a vida inteira. Também destacam que aquilo levou Bensimhon a ser detido e multado. Todos esses são bons motivos para se considerar o salto fajuto de Bensimhon, bem, uma ação fajuta.

Mas eu gostaria de acrescentar mais um motivo à lista: a proeza não teve nada a ver com o produto que estava tentando promover.

Sim, as pessoas falaram do incidente, mas não do cassino. Meia-calça de bolinhas, tutu e invasão dos Jogos Olímpicos para saltar em uma piscina formam um grande material para uma história. Por isso as pessoas falaram a respeito. Assim, se o objetivo era fazê-las pensarem mais a respeito da segurança nos Jogos Olímpicos ou chamar a atenção para um novo estilo de meia-calça, a armação foi um sucesso.

Mas não teve nada a ver com cassinos. Nem de leve.

Assim, as pessoas falaram sobre a história notável, mas deixaram o cassino de fora porque era irrelevante. Até mencionavam que Bensimhon era patrocinado por alguém, mas não citavam o cassino porque isso não melhorava a história. É como construir um Cavalo de Troia imponente, mas se esquecer de colocar alguma coisa lá dentro.

Ao tentar gerar boca a boca, muita gente se esquece de um detalhe importante. Focam-se tanto em fazer as pessoas falar que ignoram a parte que realmente importa: *o que as pessoas estão falando*.

Esse é o problema de criar conteúdo sem relação com o produto ou a ideia que se pretende promover. Existe uma grande diferença entre pessoas falando do conteúdo e pessoas falando da empresa, organização ou pessoa que o criou.

O famoso vídeo *Roller Babies* (Bebês patinadores) da Evian teve o mesmo problema. O vídeo mostra o que parecem bebês de fralda fazendo manobras sobre patins. Saltam uns sobre os outros, pulam cercas e fazem movimentos sincronizados, tudo na batida da canção *Rapper's Delight*. O corpo dos bebês é nitidamente uma animação, mas os rostos parecem reais, tornando o vídeo notável. A produção teve mais de cinquenta milhões de visualizações, e o *Guinness World Records* declarou-o o anúncio on-line mais visualizado da história.

Você pode estar pensando que toda essa repercussão beneficiou a marca, só que não. Naquele mesmo ano a Evian perdeu participação no mercado, e as vendas caíram quase 25%.

O problema? Bebês patinadores são fofos, mas não têm nada a ver com a Evian. Ou seja, as pessoas compartilharam o vídeo, mas isso não beneficiou a marca.

A chave, portanto, é não apenas tornar algo viral, mas também torná-lo valioso para a empresa ou organização patrocinadora. Não só viralidade, mas *viralidade valiosa*.

Veja o sanduíche de filé com queijo da Barclay Prime de que falamos no começo do livro. Comparado com bebês dançarinos e água engarrafada, um sanduíche e uma churrascaria, ambos caros e de alta qualidade, estão claramente mais relacionados. E o item não era apenas uma jogada publicitária, mas uma opção factual do menu da Barclay. Além do mais, relacionava-se diretamente às conclusões a que o restaurante queria que os consumidores chegassem a respeito de sua comida: de alta qualidade, mas não convencional; suntuosa, mas criativa.

A viralidade é mais valiosa quando o benefício da marca ou do produto é *parte integrante* da história. Quanto está tão intimamente entranhado na narrativa que as pessoas não podem contar a história sem mencioná-lo.

Um dos meus exemplos favoritos de viralidade valiosa vem da companhia egípcia de laticínios Panda, que produz diferentes produtos de queijo.

Os comerciais sempre começam de forma inócua: trabalhadores falando sobre o que comer no almoço ou uma enfermeira checando um paciente no hospital. Em um deles, um pai está comprando alimentos com o filho. "Pai, por que você não pega um queijo Panda?", pergunta o filho enquanto eles percorrem o corredor dos laticínios. "Chega!", retruca o pai. "Já temos coisa suficiente no carrinho."

Então aparece o panda. Ou melhor, um homem vestido de panda. Simplesmente não há maneira de descrever adequadamente o absurdo daquele momento. Sim, um panda gigante de repente está parado no meio de um mercado. Ou de um escritório em outro comercial. Ou de uma clínica médica.

No vídeo introduzido anteriormente, pai e filho fitam fixamente o panda, obviamente estupefatos. Enquanto toca uma canção de Buddy Holly, o menino e seu pai olham o queijo Panda na prateleira, depois o panda. E de um para o outro de novo. O pai engole em seco.

A seguir, o pandemônio (perdão pelo trocadilho): o panda avança lentamente na direção do carrinho de compras, calmamente coloca as mãos nas laterais dele e o vira.

A comida fica espalhada pelo chão – massa, enlatados e líquidos. A troca de olhares continua, enquanto o pai e o panda permanecem nas extremidades opostas do carrinho. Segue-se uma longa pausa. Então, para arrematar, o panda chuta um pouco da comida derrubada. "Nunca diga não para Panda", diz um locutor enquanto uma mão de panda coloca o produto na tela.

Esse comercial e outros parecidos têm um ritmo impecável e são completamente hilariantes. Mostrei-os para todo mundo, do pessoal da faculdade a altos executivos financeiros, e todos morreram de rir.

Observe que o que torna esses vídeos tão bons não é apenas o fato de serem engraçados. O comercial teria sido igualmente divertido se o cara estivesse vestido de galinha ou se o slogan fosse: "Nunca diga não para os carros usados do Jim." Alguém com uma fantasia de animal chutando alimentos é engraçado independentemente de qual animal seja ou de para que sirva o produto.

Os vídeos são um sucesso – e ótimos exemplos de viralidade valiosa – porque a marca é parte integrante da história. Mencionar o panda faz parte da conversa. Inclusive, você teria que se esforçar para tentar não mencionar o panda e a história ainda fazer sentido (que dirá fazer as pessoas entenderem por que é engraçada). Assim, a melhor parte da história e a marca estão perfeitamente entrelaçadas. Isso aumenta a chance não só de que as pessoas que contem a história falem da marca Panda, mas também de que se lembrem de qual produto é o comercial dias ou mesmo semanas depois. Panda é parte integrante e essencial da narrativa.

O mesmo se pode dizer da campanha *Will It Blend?*, da Blendtec. É impossível contar a história dos vídeos nos quais o liquidificador tritura um iPhone sem falar de um liquidificador. E sem reconhecer que o liquidificador Blendtec dos vídeos deve ser extremamente potente – tão forte que consegue macerar quase qualquer coisa. Isso é exatamente o que a Blendtec quer informar.

Ao tentar produzir conteúdo compartilhável, a viralidade valiosa é fundamental. Isso significa tornar a ideia ou o benefício desejado uma parte-chave da narrativa. É como o enredo de uma boa história de detetive. Alguns detalhes são essenciais para a narrativa, e outros são alheios a ela. Onde estavam os diferentes suspeitos na hora do assassinato? Essencial saber. O que o detetive estava jantando enquanto remoía os detalhes do caso? Não tão importante.

A mesma distinção pode ser aplicada ao conteúdo que estivemos discutindo. Veja a proeza olímpica de Ron Bensimhon. Saltar em uma piscina? Essencial. GoldenPalace.com? Muito irrelevante.

A importância desses diferentes tipos de detalhes fica ainda mais clara quando as pessoas recontam uma história. Pense no Cavalo de Troia. Tal relato sobreviveu por milhares de anos. Existe uma versão escrita da história, mas a maioria dos detalhes que as pessoas conhecem provêm de terem ouvido alguém contar. Mas de quais detalhes as pessoas se lembram e recontam? Não é aleatório. Detalhes fundamentais permanecem, ao passo que os irrelevantes ficam de fora.

Os psicólogos Gordon Allport e Joseph Postman examinaram um assunto semelhante há mais de cinquenta anos. Eles estavam profundamente interessados no que acontecia com os boatos à medida que se espalhavam de uma pessoa para outra. Eles permaneciam iguais ou mudavam ao serem transmitidos? E, se mudavam, havia padrões previsíveis na forma como evoluíam?

Para tratar dessa questão, fizeram pessoas participarem do que a maioria de nós descreveria como "o jogo do telefone sem fio".

Primeiro, foi mostrada para um dos participantes uma foto de uma situação detalhada – em um caso, um grupo de pessoas em um vagão de metrô. O trem parecia o Eighth Avenue Express passando pela Dyckman Street. Havia vários anúncios no vagão, e cinco pessoas estavam sentadas, incluindo um rabino e uma mãe carregando um bebê. Mas o foco da imagem são dois homens brigando. Eles estão de pé, e um aponta para o outro empunhando uma faca.

Então começa o jogo do telefone sem fio. A primeira pessoa (o transmissor) é solicitada a descrever a imagem para outra (o receptor), que não pode vê-la. O transmissor comunica os vários detalhes que considera adequados. A seguir, o transmissor sai da sala, e entra uma nova pessoa. Esta torna-se o receptor da pessoa que ficou na sala, agora um transmissor, e o que no processo se repete seis vezes. Allport e Postman depois analisaram quais detalhes da história persistiram ao longo da cadeia de transmissão.

Eles verificaram que a quantidade de informação compartilhada caiu drasticamente a cada vez que o rumor foi repassado. Cerca de 70% dos detalhes da história perderam-se nas primeiras cinco ou seis transmissões.

Mas as histórias não ficaram apenas mais curtas: também foram lapidadas em torno do ponto principal ou dos detalhes-chave. Houve padrões comuns ao longo de dúzias de cadeias de transmissão. Certos detalhes foram constantemente deixados de fora, e outros, conservados. Na história do vagão de metrô, a primeira pessoa que contou a história mencionou todos os detalhes. Falou que o vagão parecia ser do Eighth Avenue Express, que estava passando pela Dyckman Street e que havia determinada quantidade de pessoas nele, duas delas brigando.

No entanto, à medida que a história foi passada adiante pelo telefone sem fio, muitos dos detalhes sem importância foram eliminados. As pessoas pararam de falar sobre qual parecia ser a linha do metrô ou por onde estava passando, e em vez disso focaram-se na briga e no fato de uma pessoa estar apontando para a outra empunhando uma faca. Assim como nas histórias de detetive, as pessoas mencionaram os detalhes fundamentais e deixaram de fora os menos relevantes.

Se você quer elaborar conteúdo compartilhável, tente construir seu próprio Cavalo de Troia. Mas certifique-se de pensar em viralidade valiosa e de que a informação que deseja que as pessoas lembrem e transmitam seja fundamental para a narrativa. Claro que você pode contar sua história de forma engraçada, surpreendente ou envolvente. No entanto, se as pessoas não conectarem o conteúdo a você, isso não vai lhe ajudar muito. Mesmo que se torne viral.

Portanto, construa um Cavalo de Troia carregado de Moeda Social, com Gatilho, Emoção, Público e Valor Prático, mas não se esqueça de esconder sua mensagem dentro dele. Ateste que a informação desejada esteja tão embutida na trama que as pessoas não possam contar a história sem ela.

Epílogo

Pergunte a três pessoas com quem elas fizeram as unhas pela última vez, e há uma boa chance de que pelo menos uma diga que foi com uma manicure vietnamita. Mas a história por trás disso pode surpreendê-lo. Ela começou com vinte mulheres e um conjunto de unhas coral compridas.

Thuan Le era professora de ensino médio em seu país natal, mas, quando chegou a Hope Village em 1975, não tinha nada além das roupas do corpo. A cidade-acampamento nos arredores de Sacramento era uma área de abrigo para refugiados vietnamitas que escaparam para os Estados Unidos depois da queda de Saigon. Fervilhando de novos imigrantes, o acampamento transbordava de esperança e desespero ao mesmo tempo. As pessoas tinham ido para a América sonhando com uma vida melhor para si e suas famílias, mas com pouco conhecimento de inglês, de modo que as possibilidades eram limitadas.

A atriz Tippi Hedren, que estrelou *Os pássaros*, de Alfred Hitchcock, ficou sensibilizada com a situação difícil dos refugiados, e visitava Hope Village com frequência. Ela queria ajudar, por isso tornou-se mentora de algumas mulheres. Ex-empresárias, professoras e funcionárias do governo no Vietnã, essas mulheres batalhadoras estavam ávidas para conseguir trabalho. Tippi ficou encantada com suas histórias sobre o Vietnã. Elas, por sua vez, repararam em uma coisa: as lindas unhas da atriz.

As mulheres admiraram as unhas rosa-claro e acetinadas de Tippi, e então a atriz levou sua manicure uma vez por semana para lhes dar aulas. Como tirar cutículas, colocar unhas postiças e remover calosidades. As mulheres eram aplicadas nos estudos e praticavam na atriz, em si mesmas e em qualquer um em que conseguissem pôr as mãos.

Em breve Tippi pôs um plano em prática: conseguiu aulas grátis para as mulheres em uma escola de beleza das redondezas. Elas aprenderam a lixar, pintar e cortar. A seguir, a atriz sondou os arredores e ajudou Le e as outras a encontrarem empregos em Santa Mônica e cidades vizinhas.

No início foi difícil. Fazer as unhas ainda não era moda, e havia muita concorrência. Mas Le e as outras mulheres passaram nos exames para obtenção de licença e começaram a entrar no ramo. Davam duro, trabalhavam por várias horas e aceitaram os empregos que ninguém mais queria. As mulheres eram determinadas e seguiam adiante. Ganharam dinheiro e prosperaram.

Vendo o sucesso de Le, algumas amigas dela decidiram entrar no ramo. Abriram um dos primeiros salões de beleza de vietnamitas americanas e encorajaram outras a fazerem o mesmo.

As histórias de sucesso logo se espalharam. As milhares de vietnamitas que iam para os Estados Unidos em busca de novas possibilidades ouviam falar do que as outras estavam fazendo. Salões de beleza vietnamitas começaram a ser inaugurados por toda Sacramento. A seguir pelo resto da Califórnia. E então pelo país inteiro. Aquelas vinte mulheres começaram uma onda que logo adquiriu vida própria.

Hoje, 80% das manicures da Califórnia são vietnamitas. Em termos nacionais, o número é superior a 40%.

Os salões de beleza vietnamitas tornaram-se uma febre.

A história de Thuan, Tippi e da disseminação dos salões de beleza vietnamitas é muito incrível. Mas ainda mais surpreendente é o fato de não ser a única.

Outros grupos de imigrantes monopolizaram nichos semelhantes. Estima-se que cambojanos americanos detêm 80% das lojas de rosquinhas de Los Angeles, e que coreanos são donos de 65% das lavanderias de Nova Iorque. Na década de 1850, 60% das lojas de bebida de Boston eram de irlandeses. No início dos anos 1900, judeus produziam 85% das roupas masculinas. A lista é extensa.

Quando se pensa a respeito, essas histórias fazem muito sentido. As pessoas mudam-se para um novo país e começam a procurar trabalho. Embora possam ter tido vários trabalhos qualificados anteriormente, as opções dos imigrantes são limitadas. Existe a barreira do idioma, é difícil transferir certificados ou qualificações prévios, e eles não têm tantos contatos quanto em sua terra de origem. Por isso os imigrantes buscam a ajuda de amigos e conhecidos.

E, assim como acontece com o resto dos produtos e das ideias de que falamos ao longo deste livro, entram em cena a influência social e o boca a boca. O tópico do emprego é frequente entre novos imigrantes à procura de trabalho (Gatilho). Por isso eles vão ver quais serviços outros imigrantes recentes conseguiram (Público) e conversar com eles sobre as melhores oportunidades. Esses imigrantes mais estabelecidos querem causar boa impressão (Moeda Social) e ajudam os outros (Valor Prático), de modo que contam narrativas (Histórias) empolgantes (Emoção) sobre outros conhecidos que tiveram sucesso. Em pouco tempo os novos imigrantes seguem seus semelhantes e buscam o mesmo tipo de trabalho.

A história das manicures vietnamitas e a escolha de atividade dos imigrantes em termos mais gerais realça uma série de pontos que discutimos ao longo deste livro.

Primeiro, qualquer produto, ideia ou comportamento pode ser compartilhável. Falamos sobre liquidificadores (*Will It Blend?*), bares (Please Don't Tell) e cereais matinais (Cheerios). Produtos "naturalmente" excitantes, como *outlets* (Rue La La) e restaurantes de alto padrão (sanduíche de filé e queijo de cem dólares da Barclay Prime), e artigos tradicionalmente menos dignos de *buzz*, como milho (*Clean Ears Everytime*, de Ken Craig) e busca on-line (*Parisian Love*, do Google). Produtos (os fones de ouvido brancos do iPod) e serviços (Hotmail), mas também organizações sem fins lucrativos

(Movember e as pulseiras Livestrong), comportamentos de saúde (*Man Drinks Fat*) e setores inteiros (salões de beleza vietnamitas). Até sabonete (*Evolução*, da Dove). A influência social ajuda todos os tipos de produtos e ideias a se propagarem.

Segundo, vimos que, em vez de serem causadas por um punhado de pessoas "influentes" especiais, as epidemias sociais são impulsionadas pelos próprios produtos e ideias.

Claro que toda história boa tem um herói. Tippi Hedren ajudou mulheres vietnamitas a aprenderem a fazer unhas, e George Wright teve a ideia criativa que deu início a *Will It Blend?*. Embora esses indivíduos tenham dado o pontapé inicial, são apenas uma pequena parte da história. Ao descrever por que algumas pessoas descoladas ou conectadas (as chamadas influentes) não são tão importantes para epidemias sociais como se poderia pensar, o sociólogo Duncan Watts faz uma bela comparação com incêndios na floresta. Alguns deles se alastram mais que outros, mas ninguém pode afirmar que a proporção do incêndio depende da natureza excepcional da fagulha inicial. Grandes incêndios florestais não são causados por grandes fagulhas. É preciso que muitas árvores peguem fogo e propaguem as chamas.

Produtos e ideias contagiantes são como incêndios na floresta. Não podem acontecer sem centenas, se não milhares, de Joãos e Marias passando o produto ou a mensagem adiante.

Então por que milhares de pessoas *transmitiram* esses produtos e ideias?

É aqui que chegamos ao terceiro ponto: certas características tornam mais provável que produtos e ideias sejam comentados e compartilhados. Você pode achar que o fato de algumas coisas virarem mania seja simplesmente aleatório, que certos produtos e ideias simplesmente deem isso. Mas não é apenas sorte. E não é um mistério. Os mesmos princípios-chave impulsionam todos os tipos de epidemia social. Seja para fazer as pessoas gastarem menos papel, verem um documentário, experimentarem um serviço ou votarem em um candidato, existe uma receita para o sucesso. Os mesmos seis princípios, ou passos, levam as coisas a virarem mania.

Moeda Social	Compartilhamos coisas que geram uma boa imagem para nós
Gatilhos	*Top of mind*, na ponta da língua
Emoção	Quando nos importamos, compartilhamos
Público	Feito para aparecer, feito para crescer
Valor Prático	Novidades que se podem usar
Histórias	A informação viaja disfarçada de conversa fiada

Assim, se estamos tentando tornar um produto ou ideia contagiante, pensamos em como aglomerar esses passos-chave.

Algo disso pode acontecer na elaboração do produto ou da ideia em si. O sanduíche de filé com queijo foi arquitetado para ter Moeda Social. A canção de Rebecca Black era executada com frequência devido ao nome. A apresentação de Susan Boyle evocou muita emoção. O Movember angariou milhões para o câncer masculino ao expor um comportamento antes privado e usar bigodes para torná-lo Público. O vídeo *Clean Ears Everytime*, de Ken Craig, consiste de dois minutos de puro Valor Prático.

Mas esses passos também podem ser incutidos na mensagem em torno de um produto ou uma ideia. Os liquidificadores Blendtec sempre foram potentes, mas, ao mostrar essa potência de forma notável, os vídeos *Will It Blend?* geraram Moeda Social e as pessoas fizeram o *buzz*. O fabricante do Kit Kat não mudou seu produto, mas, ao relacioná-lo a uma bebida popular (café), aumentou o número de Gatilhos para fazer as pessoas pensarem (e falarem) no doce. As pessoas compartilham o *MoneyWhys* da Vanguard porque ele fornece Valor Prático, mas repassá-lo também estimula o boca a boca para a companhia em si. As pessoas compartilharam o vídeo *Evolução* da Dove porque ele evoca grande dose de Emoção; todavia, ao ser parte da narrativa, a empresa também se beneficia da conversa.

Se quiser aplicar essa estrutura, eis aqui uma lista de controle que você pode usar para ver como seu produto ou sua ideia está se saindo nos seis diferentes passos.

Siga esses seis passos-chave, ou mesmo apenas alguns deles, e você poderá usufruir de influência social e boca a boca para fazer qualquer produto ou ideia virar mania.

Uma última observação: a melhor parte da estrutura dos passos é que qualquer um pode usá-la. Não exige uma enorme verba publicitária, marketing genial ou alguma espécie de gene da criatividade. Sim, os vídeos virais e o conteúdo contagiante de que falamos foram criados por certos indivíduos, mas nem todos eles eram famosos ou podiam vangloriar-se de ter dez mil seguidores no Twitter. Eles contaram com um ou mais dos seis passos-chave e isso tornou seus produtos e ideias mais dignos de serem passados adiante.

Moeda Social	Falar sobre seu produto ou sua ideia rende uma boa imagem para as pessoas? Você consegue encontrar a notabilidade interior? Alavancar a mecânica de jogo? Fazer as pessoas se sentirem por dentro?
Gatilhos	Considere o contexto. Que sugestões fazem as pessoas pensarem em seu produto ou sua ideia? Como você pode ampliar o habitat e fazer com que venha à mente com mais frequência?
Emoção	Enfoque as sensações. Falar sobre seu produto ou sua ideia gera emoção? Como você pode catalisar isso?
Público	Seu produto ou sua ideia anuncia a si mesmo? As pessoas conseguem ver quando os outros o(a) estão usando? Caso não, como você pode tornar o privado, público? Você consegue criar resíduo comportamental que persista mesmo depois de as pessoas o(a) terem usado?
Valor Prático	Falar sobre seu produto ou sua ideia ajuda as pessoas a ajudarem os outros? Como você pode, para ressaltar o valor incrível, embalar seu conhecimento e sua competência em informações úteis que os outros queiram disseminar?
Histórias	Qual é o seu Cavalo de Troia? Seu produto ou sua ideia está embutido (a) em uma narrativa mais ampla que as pessoas queiram compartilhar? A história é não apenas viral, mas também valiosa?

Howard Wein precisava ajudar um novo restaurante a se destacar na multidão, arrumar uma forma de torná-lo mais conhecido, mas ao mesmo tempo mantendo-se fiel à marca Barclay Prime. O sanduíche de filé e queijo de cem dólares foi a solução. Não só proporcionou uma narrativa (História) notável (Moeda Social) e surpreendente (Emoção), como também ilustrou o tipo de produto de qualidade que a churrascaria oferecia (Valor Prático). E o predomínio dos sanduíches de filé com queijo na Filadélfia ofereceu lembretes prontos para as pessoas passarem a história adiante (Gatilhos). Esse sanduíche fez as pessoas falarem e ajudou a fazer da Barclay Prime um grande sucesso.

George Wright quase não tinha verba destinada para marketing. Ele precisava de um jeito de gerar *buzz* sobre um produto do qual habitualmente a maioria das pessoas não falaria: um liquidificador. Ao pensar sobre o que tornava seu produto atrativo e embrulhar essa ideia em uma narrativa mais ampla, ele conseguiu produzir vídeos que foram visualizados por milhões de pessoas e fomentar as vendas. Os vídeos *Will It Blend?* são espantosos (Emoção) e notáveis (Moeda Social). No entanto, ao tornarem os benefícios do produto (Valor Prático) parte integrante da narrativa (Histórias), eles propiciam um Cavalo de Troia perfeito para levar as pessoas a falarem sobre um eletrodoméstico do cotidiano e fazer o Blendtec ficar conhecido.

Pessoas comuns com produtos e ideias comuns. Mas, ao aproveitar a psicologia do boca a boca, foram capazes de fazer seus produtos e ideias alcançarem o sucesso.

Ao longo deste livro discutimos a ciência de ponta sobre o funcionamento do boca a boca e da influência social. Se você seguir esses seis passos-chave, poderá tornar qualquer produto ou ideia contagiante.

Agradecimentos

Quando eu dizia que estava escrevendo um livro, as pessoas muitas vezes perguntavam se alguém estava me ajudando. Embora eu não tenha tido um coautor me ajudando, essa questão era difícil de responder porque este livro jamais teria se concretizado sem o auxílio de incontáveis pessoas.

Primeiro, quero agradecer a meus vários colaboradores ao longo dos anos. Pessoas como Ezgi Akpinar, Eric Bradlow, Dave Balter e a equipe da BzzAgent, Gráinne Fitzsimons, Raghu Iyengar, Ed Keller e o pessoal do Keller Fay Group, Blake McShane, Katy Milkman, Eric Schwartz e Morgan Ward, sem os quais os artigos que discuto neste livro não teriam sido produzidos. Alunos brilhantes como Rebecca Greenblatt, Diana Jiang, Lauren McDevitt, Geneva Long, Keri Taub e Jennifer Wu me ajudaram apoiando esses projetos. Malcolm Gladwell escreveu o livro incrível que me colocou nessa trilha. Anna Mastri me forçou a ser um escritor melhor, e os livros de Seth Godin, Stanley Lieberson, Everett Rogers, Emanuel Rosen, Thomas Schelling e Jonathan Weiner me inspiraram a seguir nessa linha de pesquisa. Há também uma dívida de gratidão com gente como Glenn Moglen, que me introduziu à pesquisa acadêmica; Emily Pronin, que me apresentou à psicologia social; Noah Mark, que me fez conhecer sociologia; e Lee Ross e Itamar Simonson, que me disseram para sempre ir atrás de grandes ideias. Obrigado a todos os meus colegas em Wharton e Stanford e a todos os professores e equipe da Montgomery Blair High School e da Takoma Park Middle School que ensinaram a mim e a milhares de outros garotos de sorte as maravilhas da matemática e da ciência.

Segundo, quero agradecer às pessoas que tornaram possível este livro em si. Dan Ariely, Dan Gilbert e Sarah Lehrer ajudaram-me a entender o que realmente significava escrever um livro. Alice LaPlante aprimorou a escrita. Jim Levine e todos os seus colegas na Levine Greenberg Literary Agency iluminaram meu caminho ao longo de todo o processo. Jonathan Karp, Bob Bender, Tracey Guest, Richard Rhorer, Michael Accordino e o restante da equipe da Simon & Schuster ajudaram a compor essas ideias em um livro de verdade. Anthony Cafaro, Colleen Chorak, Ken Craig, Ben Fischman, Denise Grady, Koreen Johannessen, Scott MacEachern, Jim Meehan, Tim Piper, Ken Segall, Brian Shebairo, Howard Wein e George Wright arranjaram tempo para compartilhar suas histórias comigo. Vários alunos do Executive MBA de Wharton foram gentis o bastante para dar um feedback sobre o meu rascunho. A equipe do futebol do meio-dia da UPenn proporcionou momentos bem-vindos quando eu fazia uma pausa nos escritos. Maria Ana trouxe um olho de águia à revisão. Meu irmão, Fred, Danny e toda a família Bruno não só deram feedback sobre os rascunhos, como me lembraram o principal motivo para eu estar fazendo tudo isso.

Mais umas poucas pessoas merecem menção especial. Primeiro, Chip, que não só foi um conselheiro, mentor e amigo, como me ensinou a maior parte do que sei sobre redação e pesquisa: nunca vou conseguir agradecer-lhe o bastante. Segundo, Jordan, por ter ficado firme comigo durante o processo e ter sido uma editora cuidadosa e uma defensora incansável, dependendo do que fosse necessário. Terceiro, meus pais, Diane Arkin e Jeffrey Berger, que leram e apoiaram esse projeto, e lançaram as raízes que fizeram tudo isso possível. E finalmente minha avó. Por dar o pontapé inicial dessa jornada e me apoiar ao longo do caminho.

Notas

Introdução: Por que as coisas pegam

Página

2 *60% desaparecem*: www.econ.ucsb.edu/~tedb/Courses/Ec1F07/restaurantsfail.pdf.

3 *"Foi como comer ouro"*: retirado da página da Barclay Prime no Yelp, http://www.yelp.com/biz/barclay-prime-philadelphia.

4 *A maioria dos restaurantes fracassa*: Shane, Scott (2008), "Startup Failure Rates – The REAL Numbers", *Small Business Trends*, 28 de abril, http://smallbiztrends.com/2008/04/startup-failure-rates.html.

7 *As pessoas compartilham mais de 16 mil palavras:* ver Mehl, Matthais R., Simine Vazire, Nairan Ramirez-Esparza, Richard B. Slatcher e James W. Pennebaker (2007), "Are Women Really More Talkative Than Men?", *Science* 317, 82.

7 *Cem milhões de conversas sobre marcas:* ver Keller, Ed e Barak Libai (2009), "A Holistic Approach to the Measurement of WOM", apresentação na ESOMAR Worldwide Media Measurement Conference, Estocolmo (4 a 6 de maio).

7 *Experimentamos os sites que nossos vizinhos recomendam*: ver Trusov, Michael, Randolph E. Bucklin e Koen Pauwels (2009), "Effects of Word-of--Mouth Versus Traditional Marketing: Findings from an Internet Social Networking Site", *Journal of Marketing* 73 (setembro), 90-102.

7 *O boca a boca é o fator primário*: Bughin, Jacques, Jonathan Doogan e Ole Jørgen Vetvik (2010), "A New Way to Measure Word-of-Mouth Marketing", *McKinsey Quarterly* (livro branco).

7 *Goel, Watts e Goldstein 2012*: "The Structure of On-line Diffusion Networks", *Proceedings of the 13th ACM Conference on Electronic Commerce* (EC'12).

7 *Aumento de quase 200 dólares nas vendas de um restaurante*: ver Godes, David e Dina Mayzlin (2009), "Firm-Created Word-of-Mouth Communication: Evidence from a Field Study", *Marketing Science* 28, nº 4, 721-39.

8 *20 livros a mais*: Chevalier, Judith e Dina Mayzlin (2006), "The Effect of Word of Mouth on Sales: On-line Book Reviews", *Journal of Marketing Research* 43, nº 3, 345-54.

8 *Os médicos ficam mais propensos*: Iyengar, Raghuram, Christophe van den Bulte e Thomas W. Valente (2011), "Opinion Leadership and Social Contagion in New Product Diffusion", *Marketing Science* 30, nº 2, 195-212.

8 *As pessoas ficam mais propensas*: Christakis, Nicholas A. e James Fowler (2009), *Connected: The Surprising Power of Our Social Networks and How They Shape Our Lives* (Nova Iorque: Little, Brown and Company).

8 *Embora a publicidade tradicional ainda seja útil*: Stephen, Andrew e Jeff Galak (2012), "The Effects of Traditional and Social Earned Media on Sales: A Study of a Microlending Marketplace", *Journal of Marketing Research* 49, nº 5, 624-639; Trusov, Bucklin e Pauwels, "Effects of Word-of-Mouth Versus Traditional Marketing".

9 *Clientes indicados por amigos*: Schmitt, Philipp, Bernd Skiera e Christophe van den Bulte (2011), "Referral Programs and Customer Value", *Journal of Marketing* 75 (janeiro), 46-59. Ver também http://techcrunch.com/2011/11/27/social-proof-why-people-like-to-follow-the-crowd.

11 *Milhões de pessoas usam esses sites*: Eridon, Corey (2011), "25 Billion Pieces of Content Get Shared on Facebook Monthly", *Hubspot Blog*, 2 de dezembro, http://blog.hubspot.com/blog/tabid/6307/bid/29407/25-Billion-Pieces-of-Content-Get-Shared-on-Facebook-Monthly-INFOGRAPHIC.aspx.

11 *O verdadeiro número é 7%*: este livro oferece um perspectiva realmente boa sobre a importância dos comentários cara a cara: Keller, Ed e Brad Fay (2013), *The Face-to-Face Book: Why Real Relationships Rule in a Digital Marketplace* (Nova Iorque: Free Press).

11 *Em torno de duas horas por dia*: ver http://news.cnet.com/8301-1023_3-10421016-93.html.

12 *Um tweet em média*: Arthur, Charles (2009), "Average Twitter User has 126 Followers, and Only 20% of Users Go via Website", *The Guardian*, 29 de março, http://www.theguardian.co.uk/technology/blog/2009/jun/29/twitter-users-average-api-traffic.

12 *As discussões off-line sejam mais predominantes*: ao ponderar qual boca a boca, on-line ou off-line, será mais eficiente, pense também onde a ação desejada tem lugar. Se você está tentando fazer com que as pessoas vejam um site, a primeira opção é ótima porque a ação desejada está a apenas um clique de distância. O mesmo se aplica a produtos ou comportamentos off-line. Boca a boca on-line sobre um molho para massas é ótimo, mas as pessoas precisam se lembrar de comprá-lo quando estiverem de fato na loja, de modo que o boca a boca off-line possa ser ainda melhor. Pense

também se e onde as pessoas fazem pesquisas antes de comprar. Embora a maioria das pessoas compre carros off-line, elas pesquisam bastante on-line e podem tomar a decisão antes mesmo de entrar na concessionária. Nesses casos, o boca a boca on-line pode influenciar na decisão.

12 *Apenas um terço de 1%*: ver http://articles.businessinsider.com/2009-05-20/tech/30027787_1_tubemogul-videos-viral-hits.

13 *"Pelos esforços"*: Gladwell, Malcolm (2000), *The Tipping Point: How Little Things Can Make a Big Difference* (Nova Iorque: Little, Brown).

13 *"Um em cada dez americanos"*: Keller, Ed e Jon Berry (2003), *The Influentials: One American in Ten Tells the Other Nine How to Vote, Where to Eat and What to Buy* (Nova Iorque: Free Press).

14 *Fazer com que as coisas tornem-se virais*: atualmente existe pouca evidência empírica de que as pessoas que possuem mais laços sociais ou são mais persuasivas têm impacto maior naquilo que vira moda. Ver Bakshy, Eytan, Jake Hofman, Winter A. Mason e Duncan J. Watts (2011), "Everyone's an Influencer: Quantifying Influence on Twitter", *Proceedings of the Fourth International Conference on Web Search and Data Mining*, Hong Kong; ver também Watts, Duncan J. e Peter S. Dodds (2007), "Networks, Influence, and Public Opinion Formation", *Journal of Consumer Research* 34, nº 4, 441-58. Pense sobre a última história que alguém lhe contou e você passou adiante. Você fez isso porque a pessoa que lhe contou era muito popular? Ou porque a história em si era engraçada ou surpreendente? Pense sobre as últimas notícias que alguém lhe mandou e que você repassou para outra pessoa. Você teve essa iniciativa porque a pessoa que lhe mandou era especialmente persuasiva? Ou porque você conhecia mais alguém que poderia ficar interessado pela informação contida na história? Nesses e na maioria dos casos, a força motriz por trás do boca a boca é a mensagem, não o mensageiro.

15 *Tom Dickson estava procurando um novo emprego*: Sauer, Patrick J. (2008), "Confessions of a Viral Video Superstar", revista *Inc.*, 19 de junho. Vá a http://jonahberger.com para ver Tom triturando um iPhone.

16 *Em 1999 a Blendtec foi fundada*: ver http://donteattheshrimp.com/2007/07/03/will-it-blend-gets-blendtec-in-the-wsj/ e http://magazine.byu.edu/?act=view&a=2391 para algumas boas discussões sobre os primeiros anos da Blendtec.

1. Moeda Social

Página

31 *Brian decidiu*: entrevistas com Brian Shebairo em 16 de maio de 2012 e Jim Meehan em 13 de maio de 2012.

33 *40% do que as pessoas falam*: Dunbar, Robert I. M., Anna Marriott e N. D. C. Duncan (1997), "Human Conversational Behavior", *Human Nature* 8, nº 3, 231-44.

33 *Metade dos tweets são focados no "eu"*: Naaman, Mor, Jeffrey Boase e Chih-Hui Lai (2010), "Is It Really About Me? Message Content in Social Awareness Streams", *Proceedings of the ACM Conference*, 189-92.

33 *Jason Mitchell e Diana Tamir*: Tamir, Diana I. e Jason P. Mitchell (2012), "Disclosing Information About the Self Is Intrinsically Rewarding", *Proceedings of the National Academy of Sciences* 109, nº 21, 8.038-43.

36 *Elaboramos palpites racionais*: ver Berger, Jonah e Chip Heath (2008), "Who Drives Divergence? Identity Signaling, Outgroup Dissimilarity, and the Abandonment of Cultural Tastes", *Journal of Personality and Social Psychology* 95, nº 3, 593-605. Ver também Berger, Jonah e Chip Heath (2007), "Where Consumers Diverge from Others: Identity Signaling and Product Domains", *Journal of Consumer Research* 34, nº 2, 121-34, para discussão sobre pesquisas nessa área.

36 *Bolsa Prada*: Wojnicki, Andrea C. e Dave Godes (2010), "Word-of-Mouth as Self-Enhancement", trabalho da Universidade de Toronto. Ver também De Angelis, Matteo, Andrea Bonezzi, Alessandro Peluso, Derek Rucker e Michele Costabile (2012), "On Braggarts and Gossips: A Self-Enhancement Account of Word-of-Mouth Generation and Transmission", *Journal of Marketing Research* 49, nº 4, 551-563.

38 *Algo "fora do comum"*: para uma discussão sobre a história por trás dos fatos da Snapple, ver http://mittelmitte.blogspot.com/2006/09/snapple-real-facts-are-100-true.html e http://mysnapplerealfacts.blogspot.com/.

39 *Professor Raghu Iyengar, de Wharton*: Berger, Jonah e Raghuram Iyengar (2013), "How Interest Shapes Word-of-Mouth over Different Channels", trabalho de Wharton.

40 *Tweets mais interessantes*: Bakshy, Eytan, Jake M. Hoffman, Winter A. Mason e Duncan J. Watts (2011), "Everyone's an Influencer: Quantifying Influence on Twitter", *WSDM*, 65-74. Ver também Berger, Jonah e Katherine Milkman (2012), "What Makes On-line Content Viral", *Journal of Marketing Research* 49, nº 2, 192-205.

40 *Psicólogos da Universidade de Illinois*: Burrus, Jeremy, Justin Kruger e Amber Jurgens (2006), "The Truth Never Stands in the Way of a Good Story: The Distortion of Stories in the Service of Entertainment", trabalho da Universidade de Illinois.

42 *Mistérios e controvérsia*: Ibid. Ver também Chen, Zoey e Jonah Berger (2012), "When, Why, and How Controversy Causes Conversation", trabalho de Wharton.

43 *Papel higiênico preto*: informações sobre a Renova, companhia portuguesa que faz papel higiênico colorido, podem ser encontradas em http://www.myrenova.com/.

45 *180 milhões de pessoas*: os fatos sobre programas de milhas aéreas vieram de http://www.frequentflyerservices.com/press_room/facts_and_stats/frequent_flyer_facts.php e http://www.prweb.com/releases/2011/11/prweb8925371.htm.

46 *Marcos discretos motivam-nos*: informações sobre como metas podem atuar como pontos de referência e de que forma marcos discretos de progresso podem afetar a motivação podem ser encontradas em: Heath, Chip, Richard P. Larrick e George Wu (1999), "Goals as Reference Points", *Cognitive Psychology* 38, 79-109; Amir, On e Dan Ariely (2008), "Resting on Laurels: The Effect of Discret Progress Markers as Sub-goals on Task Performance and Preferences", *Journal of Experimental Psychology: Learning, Memory, and Cognition* 34, nº 5, 1.158-71; e Kivetz, Ran, Oleg Urminsky e Yuhuang Zheng (2006), "The Goal-Gradient Hypothesis Resurrected: Purchase Acceleration, Illusionary Goal Progress, and Customer Retention", *Journal of Marketing Research* 43, nº 1, 39-56.

46 *Ao aumentar a motivação, os cartões*: Kivetz, Ran, Oleg Urminsky e Yuhuang Zheng (2006), "The Goal-Gradient Hypothesis Resurrected: Purchase Acceleration, Illusionary Goal Progress, and Customer Retention", *Journal of Marketing Research* 43 (fevereiro), 39-58.

47 *Preferiam ficar em melhor situação*: Solnick, S.J. e D. Hemenway (1998), "Is More Always Better? A Survey on Positional Concerns", *Journal of Economic Behavior and Organization* 37, 373-83.

50 *O concurso ajudou a impulsionar as vendas*: informações sobre a campanha "Art of the Trench", da Burberry, podem ser encontradas em http://blogs.wsj.com/source/2010/01/19/burberry%E2%80%99s-trench-website-too--good-to-be-true/ e http://www.1to1media.com/weblog/2010/01/internet_marketing_from_the_tr.html.

53 *"É como o recepcionista"*: entrevista com Ben Fischman em 12 de junho de 2012. Obrigado a Dave Balter por me apresentar essa grande história.

54 *Se algo é difícil de obter*: para uma discussão sobre como o esforço influencia as inferências de valor, ver Aronson, Elliot (1997), "The Theory of Cognitive Dissonance: The Evolution and Vicissitudes of an Idea", em *The Message of Social Psychology: Perspectives on Mind in Society*, ed. Craig McGarty e S. Alexander Haslam (Malden, Mass.: Blackwell Publishing), 20-35; e Aronson, Elliot e Judson Mills (1959), "The Effect of Severity of Initiation on Liking for a Group", *Journal of Abnormal and Social Psychology* 66, nº 6, 584-88. Ver também Sela, Aner e Jonah Berger (2011),

"Decision Quicksand: How Trivial Choices Suck Us In", *Journal of Consumer Research* 39.

54 *Pessoas avaliam livros de receitas*: existe uma série de artigos valiosos sobre como a escassez afeta o valor. Ver Verhallen, Theo (1982), "Scarcity and Consumer Choice Behavior", *Journal of Economic Psychology* 2, 299-322; Worchel, S., J. Lee e A. Adewole (1975), "Effects of Supply and Demand on Ratings of Object Value", *Journal of Personality and Social Psychology* 32, 906-14; Fromkin, H. L., J. C. Olson, R. L. Dipboye e D. Barnaby (1971), "A Commodity Theory Analysis of Consumer Preferences for Scarce Products", *Proceedings 79th Annual Convention of the American Psychological Association*, 1971, 653-54.

56 *Chicken McNuggets*: obrigado a Dave Balter por me contar sobre o localizador de McRib. Para detalhes por trás da história, ver http://www.maxim.com/funny/the-cult-of-the-mcrib-0 e http://en.wikipedia.org/wiki/McRib.

59 *Assim que paga as pessoas*: para pesquisa pioneira (e extremamente perspicaz) sobre motivação intrínseca e extrínseca, ver Lepper, Mark R., David Greene e Richard E. Nisbett (1973), "Undermining Children's Intrinsic Interest with Extrinsic Reward: A Test of the 'Overjustification' Hypothesis", *Journal of Social and Personality Psychology* 28, nº 1, 129-37. Para uma abordagem mais recente, ver Heyman, James e Dan Ariely (2004), "Effort for Payment: A Tale of Two Markets", *Psychological Science* 15, nº 11, 787-93.

2. Gatilhos

Página

62 *"Ninguém fala de companhias sem graça"*: Sernovitz, Andy (2006), *Word of Mouth Marketing: How Smart Companies Get People Talking* (Chicago: Kaplan Publishing).

62 *As pessoas falam mais sobre Cheerios*: a descoberta de que o Honey Nut Cheerios rende mais boca a boca do que Disney provém da análise da BzzAgent que discutimos nesse capítulo: Berger, Jonah e Eric Schwartz (2011), "What Drives Immediate and Ongoing Word-of-Mouth?", *Journal of Marketing*, outubro, 869-80. A descoberta também é proveniente de dados do Twitter sobre a frequência com que as duas marcas são discutidas.

64 *16 episódios de boca a boca*: Carl, Walter (2006), "What's All the *Buzz* About? Everyday Communication and the Relational Basis of Word-of--Mouth and *Buzz* Marketing Practices", *Management Communication Quarterly* 19, 601-34.

64 *Os consumidores norte-americanos mencionam marcas específicas*: Keller, Ed e Barak Libai (2009), "A Holistic Approach to the Measurement of WOM", apresentação na ESOMAR Worldwide Media Measurement Conference, Estocolmo (4 a 6 de maio).

66 *Dave liberou para meu colega Eric Schwartz*: isso incluiu as informações sobre o produto em cada campanha e o número de BzzReports que cada BzzAgent apresentou. Ficamos especialmente interessados no fato de que podíamos analisar o *buzz* gerado por agente para cada produto. Afinal, certas pessoas poderiam gerar mais boca a boca que outras: Chatty Cathys falam mais do que Quiet Quentins. Mas, ao analisar quanto cada agente havia falado ao longo de diferentes campanhas, pudemos identificar padrões. Conseguimos perceber se um agente falou mais sobre uma marca de café do que sobre um novo tipo de câmera digital. E começar a entender por que certos produtos obtinham mais boca a boca que outros. Notar não só se as pessoas falavam mais sobre certas categorias de produto (como comida) do que outras (como filmes), mas o que em primeiro lugar realmente estimula a discussão – a psicologia da conversa.

69 *Alguns pensamentos são mais top of mind*: acessibilidade é um tópico bastante comentado em psicologia; para algumas pesquisas clássicas sobre o assunto, ver Higgins, E. Tory e G. King (1981), "Accessibility of Social Constructs: Information-processing Consequences of Individual and Contextual Variability", em *Personality, Cognition, and Social Interaction*, ed. N. Cantor e J. F. Kihlstrom (Hillsdale, N.J.: Lawrence Erlbaum), 60-81; e Wyer, Robert S. e T. K. Srull (1981), "Category Accessibility: Some Theoretical and Empirical Issues Concerning the Processing of Social Stimulus Information", em *Social Cognition: The Ontario Symposium*, vol. 1, ed. E. T. Higgins, C. P. Herman e M. P. Zanna (Hillsdale, N.J.: Lawrence Earlbaum), 161-97.

69 *Algumas coisas são habitualmente acessíveis*: para um dos primeiros artigos sobre acessibilidade habitual, ver Bargh, John A., W. J. Lombardi e E. Tory Higgins (1988), "Automaticity of Chronically Accessible Constructs in Person X Situation Effects on Person Perception: It's Just a Matter of Time", *Journal of Personality and Social Psychology* 55, nº 4, 599-605.

70 *Os estímulos no ambiente circundante*: existe uma vasta literatura sobre estímulos no ambiente e ativação da disseminação, mas, para alguns clássicos, ver Anderson, John R. (1983), *The Architecture of Cognition* (Cambridge, Mass.: Harvard University Press); Collins, Allan M. e Elizabeth F. Loftus (1975), "A Spreading-Activation Theory of Semantic Processing", *Psychological Review* 82, nº 6, 407-28; e Higgins, Tory E., William S. Rholes e Carl R. Jones (1977), "Category Accessibility and Impression

Formation", *Journal of Social Psychology* 13 (março), 141-54. Para exemplos em um contexto de consumo, ver Nedungadi, P. (1990), "Recall and Consumer Consideration Sets: Influencing Choice Without Altering Brand Evaluations", *Journal of Consumer Research* 17, nº 3, 263-76; e Berger, Jonah e Gráinne M. Fitzsimons (2008), "Dogs on the Street, Pumas on Your Feet: How Cues in the Environment Influence Product Evaluation and Choice", *Journal of Marketing Research* 45, nº 1, 1-14.

70 *A companhia de doces Mars*: White, Michael (1997), "Toy Rover Sales Soar into Orbit: Mars Landing Puts Gold Shine Back into Space Items", *Arizona Republic*, 12 de julho, E1.

71 *Os pesquisadores de música Adrian North*: North, Adrian C., David J. Hargreaves e Jennifer McKendrick (1997), "In-Store Music Affects Product Choice, *Nature* 390 (novembro), 132.

71 *A psicóloga Gráinne Fitzsimons*: Berger e Fitzsimons, "Dogs on the Street", 1-14.

73 *As pessoas têm crenças essenciais*: Riker, William e Peter Ordeshook (1968), "A Theory of the Calculus of Voting", *American Political Science Review* 62, nº 1, 25-42.

74 *Eleição geral do Arizona em 2000*: Berger, Jonah, Marc Meredith e S. Christian Wheeler (2008), "Contextual Priming: Where People Vote Affects How They Vote", *Proceedings of the National Academy of Sciences* 105, nº 26, 8.846-49.

76 *Os pais de Rebecca pagaram quatro mil dólares*: os detalhes sobre Rebecca Black são provenientes de http://en.wikipedia.org/wiki/Rebecca_Black.

78 *Os gatilhos estimulam o boca a boca*: ver também Rosen, Emanuel (2003), *Anatomy of Buzz* (Londres: Profile Books), para uma bela discussão relacionada a gatilhos.

78 *Produtos com gatilhos mais frequentes*: Berger, Jonah e Eric Schwartz (2011), "What Drives Immediate and Ongoing Word-of-Mouth?", *Journal of Marketing*, outubro, 869-80.

80 *Analisamos centenas de resenhas de livros do* New York Times: Berger, Jonah, Alan T. Sorensen e Scott J. Rasmussen (2010), "Positive Effects of Negative Publicity: When Negative Reviews Increase Sales", *Marketing Science* 29, nº 5, 815-27.

81 *A música do Kit Kat*: os detalhes sobre a história do Kit Kat são provenientes de http://en.wikipedia.org/wiki/Kit_Kat. Os detalhes sobre a campanha do café foram retirados de uma entrevista com Colleen Chorak em 9 de fevereiro de 2012.

81 *Um dos dez mais "earworms"*: os detalhes sobre a canção *Give me a Break* como um "earworm" provêm de Kellaris, James (2003), "Dissecting

Earworms: Further Evidence on the 'Song-Stuck-in-Your-Head' Phenomenon", apresentação na Society for Consumer Psychology. Ver também http://www.webmd.com/mental-health/news/20030227/songs-stick-in--everyones-head.

83 *Ideias também têm habitats*: Berger, Jonah e Chip Heath (2005), "Idea Habitats: How the Prevalence of Environmental Cues Influences the Success of Ideas", *Cognitive Science* 29, nº 2, 195-221.

84 *Um experimento que conduzimos com a BzzAgent e o Boston Market*: Berger e Schwartz, "What Drives Immediate and Ongoing Word-of-Mouth?", 869-80.

85 *"Bob, tenho enfisema"*: ver http://no-smoke.org/images/02_Bob_14x48.jpg.

85 *Parasita venenoso*: Cialdini, Robert B., Petia Petrova, Linda Demaine, Daniel Barrett, Brad Sagarin, John Manner e Kelton Rhoads (2005), "The Poison Parasite Defense: A Strategy for Sapping a Stronger Opponent's Persuasive Strength", trabalho da Universidade do Arizona.

86 *A Anheuser-Busch reformulou o slogan*: Cialdini, Robert B. (2001), *Influence: Science and Practice* (Needham Heights, Mass.: Allyn & Bacon).

86 *Faça furos em demasia*: as informações sobre o efeito de leque podem ser encontradas em Anderson, John R. (1974), "Retrieval of Propositional Information from Long-term Memory", *Cognitive Psychology* 6, 451-74; e Anderson, John R. (1983), *The Architecture of Cognition* (Cambridge, Mass.: Harvard University Press).

87 *O que sai da lata é gordura*: para ver a campanha do Departamento de Saúde em ação, visite http://jonahberger.com.

89 *Produtos associados com a cor laranja*: Berger e Fitzsimons, "Dogs on the Street", 1-14.

90 *Você verá um padrão certinho*: obrigado a Scott A. Golder por fornecer esses dados.

3. Emoção

Página

93 *Fotografia schlieren*: o artigo de Grady sobre a tosse pode ser encontrado em Grady, Denise (2008), "The Mysterious Cough, Caught on Film", *New York Times*, 27 de outubro, http://www.nytimes.com/2008/10/28/science/28cough.html. O artigo do *New England Journal of Medicine* sobre o qual se baseia o texto dela é de Tang, Julian W. e Gary S. Settles (2008), "Coughing and Aerosols", *New England Journal of Medicine* 359, 15.

100 *Na verdade isso não nos diz muita coisa*: não é de espantar que fatores externos, como onde um artigo foi publicado, também tivesse relação com o

fato de tal artigo chegar à lista. Artigos que apareceram na primeira página do jornal físico foram mais compartilhados do que aqueles publicados em seu interior. Os apresentados no topo da home page do *Times* foram mais repassados do que aqueles acessíveis após vários cliques no website. Artigos escritos por Bono do U2 ou pelo ex-senador Bob Dole foram compartilhados mais vezes do que os escritos por autores menos famosos. Mas essas relações não são surpreendentes, tampouco úteis. Comprar um anúncio no Super Bowl ou contratar Bono com certeza ajudará a aumentar a chance de que um conteúdo seja visualizado e compartilhado. A maioria das pessoas, contudo, não tem fundos ou conexões pessoais para fazer essas coisas acontecerem. Em vez disso, focamos nos aspectos do conteúdo em si que estavam ligados ao compartilhamento.

101 *Artigos mais úteis*: uma descrição completa de nossa pesquisa sobre a lista dos Mais Enviados por E-Mail do *New York Times*, bem como nossas descobertas, pode ser encontrada em Berger, Jonah e Katherine Milkman (2012), "What Makes On-line Content Viral", *Journal of Marketing Research* 49, nº 2, 192-205.

102 *Assombro é a sensação de maravilhamento*: para uma ótima visão geral sobre assombro, ver o artigo de Keltner, D. e J. Haidt (2003), "Approaching Awe, a Moral, Spiritual, and Aesthetic Emotion", *Cognition and Emotion*, 17, 297-314. Para uma abordagem empírica mais recente, ver Shiota, M. N., D. Keltner e A. Mossman (2007), "The Nature of Awe: Elicitors, Appraisals, and Effects on Self-concept", *Cognition and Emotion*, 21, 944-63.

102 *"A mais bela emoção"*: a citação de Einstein provém de Ulam, S. M., Françoise Ulam e Jan Myielski (1976), *Adventures of a Mathematician* (Nova Iorque: Charles Scribners' Sons), 289.

103 *Artigos que inspiravam assombro*: Berger e Milkman, "What Makes On-line Content Viral", 192-205.

104 *A primeira aparição de Susan Boyle*: a apresentação de Susan Boyle pode ser encontrada em http://jonahberger.com.

105 *Ajuda a aprofundar nossa conexão social*: para uma discussão sobre como o compartilhamento social da emoção aprofunda nossos laços sociais, ver Peters, Kim e Yoshihasa Kashima (2007), "From Social Talk to Social Action: Shaping the Social Triad with Emotion Sharing", *Journal of Personality and Social Psychology* 93, nº 5, 780-97.

106 *Conteúdo negativo deveria ser mais viral*: para uma discussão sobre boca a boca positivo e negativo, ver Godes, Dave, Yubo Chen, Sanjiv Das, Chrysanthos Dellarocas, Bruce Pfeiffer et al. (2005), "The Firm's Management of Social Interactions", *Marketing Letters* 16, nºs 3-4, 415-28.

106 *O psicólogo Jamie Pennebaker*: uma discussão sobre a investigação linguística e a contagem de palavras pode ser encontrada em: Pennebaker, James W., Roger J. Booth e Martha E. Francis (2007), "Linguistic Inquiry and Word Count: LIWC2007", acessado em 14 de outubro de 2011; http://www.liwc.net/. Para uma resenha de como o LIWC tem sido usado para estudar uma gama de processos psicológicos, ver Pennebaker, James W., Matthias R. Mehl e Katie Niederhoffer (2003), "Psychological Aspects of Natural Language Use: Our Words, Our Selves", *Annual Review of Psychology* 54, 547-77.

106 *Quantifica a positividade e negatividade*: quanto maior o percentual de palavras emocionais em uma passagem de texto, mais emoção ela tende a expressar. Pennebaker, J. W. e M. E. Francis (1996), "Cognitive, Emotional, and Language Processes in Disclosure", *Cognition and Emotion* 10, 601-26.

107 *Recém-chegados que se apaixonam por Nova Iorque*: Berger e Milkman, "What Makes On-line Content Viral", 192-205.

108 *Artigos que evocavam raiva ou ansiedade*: ibid.

108 *Excitação fisiológica*: várias pesquisas em psicologia examinaram a chamada teoria bidimensional do afeto (valência e excitação). Para discussões, ver Barrett, Lisa Feldman e James A. Russell (1999), "The Structure of Current Affect: Controversies and Emerging Consensus", *Current Directions in Psychological Science* 8, nº 1, 10-14; Christie, I. C. e B. H. Friedman (2004), "Autonomic Specificity of Discrete Emotion and Dimensions of Affective Space: A Multivariate Approach", *International Journal of Psychophysiology* 51, 143-53; e Schlosberg, H. (1954), "Three Dimensions of Emotion", *Psychological Review* 61, nº 2, 81-88.

108 *Isso é excitação*: para uma discussão sobre a neurobiologia da excitação, ver Heilman, K. M. (1997), "The Neurobiology of Emotional Experience", *Journal of Neuropsychiatry* 9, 439-48.

110 *Conteúdo engraçado é compartilhado*: a conclusão de que a excitação estimula a transmissão social pode ser encontrada em Berger, Jonah (2011), "Arousal Increases Social Transmission of Information", *Psychological Science* 22, nº 7, 891-93.

111 *Ao viajar para um show*: um resumo da odisseia de Dave Carroll com a United Airlines pode ser encontrado no livro dele: Carroll, Dave (2012), *United Breaks Guitars: The Power of One Voice in the Age of Social Media* (Carlsbad, CA.: Hay House). Para ouvir a canção, vá a http://jonahberger.com.

115 *O clipe conta o desabrochar de uma história de amor*: esse clipe pode ser visto em http://jonahberger.com. A história por trás de *Parisian Love* provém de entrevista com Anthony Cafaro em 20 de junho de 2012.

116 *"Os melhores resultados não aparecem em um mecanismo de busca"*: a citação vem de Iezzi, Teressa (2010), "Meet the Google Five", http://creativity-on-line.com/news/the-google-creative-lab/146084.

117 *Apenas acrescentar mais excitação*: Berger e Milkman, "What Makes On-line Content Viral", 192-205.

117 *Obesidade diminui a expectativa de vida*: a estatística sobre obesidade provém de Whitlock, Gary, Sarah Lewington, Paul Sherliker e Richard Peto (2009), "Body-mass Index and Mortality", *The Lancet* 374, nº 9.684, 114.

118 *Repulsa é uma emoção altamente excitante*: para uma discussão sobre como a repulsa afeta a transmissão social, ver Heath, Chip, Chris Bell e Emily Sternberg (2001), "Emotional Selection in Memes: The Case of Urban Legends", *Journal of Personality and Social Psychology* 81, nº 6, 1.028-41.

118 *A prática fortalece o vínculo materno*: para saber mais sobre baby-wearing e apego, ver www.attachmentparenting.org.

118 *A companhia criou um anúncio centrado nas dores*: para ver a propaganda do Motrin, acessar http://jonahberger.com.

119 *Desastre de marketing*: Learmonth, Michael (2008), "How Twittering Critics Brought Down Motrin Mom Campaign: Bloggers Ignite Brush Fire over Weekend, Forcing J&J to Pull Ads, Issue Apology", *AdAge.com*, 17 de novembro, retirado de http://adage.com/article/digital/twittering-critics-brought-motrin-mom-campaign/132622.

4. Público

Página

125 *Ken Segall era o braço direito de Steve Jobs*: tudo retirado de minha entrevista com Ken Segall em 15 de maio de 2012. Para mais informações sobre o trabalho de Ken na Apple, ver Segall (2012), *Insanely Simple: The Obsession That Drives Apple's Success* (Nova Iorque: Portfolio/Penguin).

128 *Se um monte de gente está comendo ali*: para a interpretação de um economista sobre esse assunto, ver Becker, Gary S. (1991), "A Note on Restaurant Pricing and Other Examples of Social Influence on Price", *Journal of Political Economy* 99, nº 3, 1.109-16.

128 *Escolhem as entradas preferidas de outros clientes*: para evidência da influência social na escolha das entradas, ver Cai, Hongbi, Yuyu Chen e Hanming Fang (2009), "Observational Learning: Evidence from a Randomized Natural Field Experiment", *American Economic Review* 99, nº 3, 864-82. Para pesquisa sobre conformidade no uso de toalhas de hotel, ver Goldstein, Noah J., Robert B. Cialdini e Vladas Griskevicius (2008), "A Room with a Viewpoint: Using Social Norms to Motivate Environmental

Conservation in Hotels", *Journal of Consumer Research* 35, 472-82. Abordagens semelhantes também foram utilizadas para fazer as pessoas reduzirem o consumo doméstico de energia.

128 *As pessoas ficam mais propensas a votar*: para evidência da influência social na participação eleitoral, ver Nickerson, David W. (2008), "Is Voting Contagious? Evidence from Two Field Experiments", *American Political Science Review* 102, 49-57. Para uma discussão de como a influência social pode afetar a obesidade e o abandono do cigarro, ver Christakis, Nicholas A. e James Fowler (2009), *Connected: The Surprising Power of Our Social Networks and How They Shape Our Lives* (Nova Iorque: Little, Brown, and Company).

128 *A marca de café a comprar*: para evidência da influência social na escolha do café, ver Burnkrant, Robert E. e Alain Cousineau (1975), "Informational and Normative Social Influence in Buyer Behavior", *Journal of Consumer Research* 2, 206-15. Para evidência da influência social no pagamento de impostos, ver Thaler, Richard (2012), "Watching Behavior Before Writing the Rules", *New York Times*, 12 de julho, retirado de http://www.nytimes.com/2012/07/08/business/behavioral-science-can-help-guide-policy--economic-view.html.

128 *As pessoas ficam mais propensas a rir*: para evidência da influência social no riso, ver Provine, R. R. (1992), "Contagious Laughter: Laughter Is a Sufficient Stimulus for Laughs and Smiles", *Bulletin of the Psychonomic Society* 30, 1-4.

128 *"Validação social"*: Cialdini, Robert B. (2001), *Influence: Science and Practice* (Needham Heights, Mass.: Allyn & Bacon).

130 *Ao analisar centenas de doações de rim*: as descobertas do perspicaz artigo de Juanjuan, bem como estatísticas variadas sobre falência de rins e doação, podem ser encontradas em Zhang, Juanjuan (2010), "The Sound of Silence: Observational Learning in the U.S. Kidney Market", *Marketing Science* 29, nº 2, 315-35.

132 *Koreen Johannessen entrou*: entrevista com Koreen Johannessen em 21 de junho de 2012.

132 *Universitários (...) relatam o consumo de álcool*: para algumas estatísticas sobre bebedeiras de universitários, ver Weschler, Henry e Toben F. Nelson (2008), "What We Have Learned from the Harvard School of Public Health College Alcohol Study: Focusing Attention on College Student Alcohol Consumption and the Environmental Conditions That Promote It", *Journal of Studies on Alcohol and Drugs* 69, 481-90. Ver também Hingson, Ralph, Timothy Heeren, Michael Winter e Henry Weschler (2005), "Magnitude of Alcohol-Related Mortality and Morbidity Among U.S. College

Students Ages 18-24: Changes from 1998 to 2001", *Annual Review of Public Health*, 26, 259-79 e http://www.alcohol101plus.org/downloads/collegestudents.pdf.

133 *Como se sentiam a respeito de beber*: os psicólogos usam o termo "ignorância pluralística" para falar a respeito desse assunto. Ignorância pluralística refere-se aos casos em que a maioria das pessoas de um grupo rejeita privadamente uma norma (tal como beber muito), mas presume incorretamente que os outros aceitam-na, em parte porque podem ver o comportamento deles, mas não seus pensamentos. Para uma discussão mais ampla, ver Prentice, Deborah A. e Dale T. Miller (1993), "Pluralistic Ignorance and Alcohol Use on Campus: Some Consequences of Misperceiving the Social Norm", *Journal of Personality and Social Psychology* 64, nº 2, 243-56.

135 *Um restaurante pode ser extremamente popular*: é por isso que o maître em geral aloca os primeiros que chegam perto da janela na frente do restaurante. Como um parêntese engraçado, existe um lugar em Nova Iorque que sempre presumi que fosse extremamente popular porque todos os bancos na parte externa estão sempre ocupados. Eu achava que as pessoas sentadas ali estivessem esperando para comer. Só depois percebi que elas devem sentar ali por ser um local conveniente para descansar por alguns minutos.

135 *As vendas de 1,5 milhão de carros*: para a história completa sobre nossa pesquisa de automóveis, ver McShane, Blakely, Eric T. Bradlow e Jonah Berger (2012), "Visual Influence and Social Groups", *Journal of Marketing Research* 49, nº 6, 854-871. Ver também Grinblatt, M., M. Keloharrju e S. Ikaheimo (2008), "Social Influence and Consumption: Evidence from the Automobile Purchases of Neighbors", *The Review of Economics and Statistics* 90, nº 4, 735-53.

136 *Quanto mais fácil de ver uma coisa*: para evidência sobre como a visibilidade pública afeta o boca a boca, ver Berger, Jonah e Eric Schwartz (2011), "What Drives Immediate and Ongoing Word of Mouth?", *Journal of Marketing Research* 48, nº 5, 869-80.

137 *O câncer tira a vida*: para estatísticas sobre como o câncer afeta os homens, ver http://cdc.gov/features/cancerandmen/ e http://www.wcrf.org/cancer_statistics/world_cancer_statistics.php.

137 *Tudo começou em uma tarde de domingo*: para a história da fundação do Movember, bem como estatísticas sobre seu crescimento e seu desenvolvimento, ver http://ca.movember.com e http://billabout.com/get-your-mo-on%E2%80%A8interview-adam-garone-movember-founder/.

140 *Johannessen conseguiu diminuir a bebedeira*: para uma discussão sobre isso, ver Schroeder, Christine M. e Deborah A. Prentice (1998), "Exposing Pluralistic Ignorance to Reduce Alcohol Use Among College Students", *Journal of Applied Social Psychology* 28, 2.150-80.

141 *350 milhões de usuários*: para detalhes básicos e estatísticas sobre o Hotmail, ver http://en.wikipedia.org/wiki/Hotmail.

143 *Os fios brancos do fone de ouvido da Apple se sobressaíram*: tais sinais visíveis são particularmente importantes em setores onde existem efeitos de rede, ou onde o valor de um produto depende do número de pessoas que o estão usando.

144 *Se chama* resíduo comportamental: o termo "resíduo comportamental" vem do psicólogo Sam Gosling. Para uma discussão sobre sua pesquisa na área, ver Gosling, Sam (2008), *Snoop: What Your Stuff Says About You* (Nova Iorque: Basic Books).

146 *"Ideia estúpida"*: Mickle, Tripp (2009), "Five Strong Years", *Sports Business Daily*, 14 de setembro, recuperado em http://www.sportsbusinessdaily.com/Journal/Issues/2009/09/20090914/This-Weeks-News/Five-Strong-Years.aspx.

146 *Até Armstrong estava incrédulo*: Carr, Austin (2011), "Lance Armstrong, Doug Ulman Thought the Livestrong Wristband Would Fail", *Fast Company*, 11 de novembro, recuperado em http://www.fastcompany.com/article/doug-ulman-didnt-think-the-livestrong-bracelets-would-sell.

146 *Essa visibilidade pública*: muitas coisas contribuíram para tornar as pulseiras Livestrong um sucesso. Elas custavam apenas um dólar, facilitando para que as pessoas experimentassem fazer parte do movimento, mesmo que não tivessem certeza de que queriam comprometer-se. As pulseiras também eram realmente fáceis de usar. Ao contrário das fitinhas do câncer de mama, que por ser usada na roupa precisa ser amarrada e desamarrada toda hora, as pulseiras Livestrong podiam ser usadas o tempo todo. Era possível usá-la de dia, mantê-la ao dormir e até mesmo no banho. Você nunca tinha que tirá-la, nem lembrar onde a havia deixado. Mas a cor também desempenhou um papel importante, conforme discutido.

147 *"A coisa boa de uma pulseira"*: entrevista com Scott MacEachern, 2006.

149 *A instalação desses botões*: Gelles, David (2010), "E-commerce Takes an Instant Liking to Facebook Button", *Financial Times*, 21 de setembro, recuperado em http://www.ft.com/cms/s/2/1599be2e-c5a9-11df-ab48-00144feab49a.html.

150 *Se os anúncios antidrogas eram realmente eficientes*: Hornik, Robert, Lela Jacobsohn, Robert Orwin, Andrea Piesse e Graham Kalton (2008), "Effects of the National Youth Anti-Drug Media Campaign on Youths", *American Journal of Public Health* 98, nº 12, 2229-36.

152 *"30 bilhões de canções foram baixadas de forma ilegal"*: site da Recording Industry Association of America, http://www.riaa.com/faq.php, recuperado em 1º de junho de 2012.

152 *Pessoas que roubavam madeira petrificada*: Cialdini, Robert B., Linda J. Demaine, Brad J. Sagarin, Daniel W. Barrett, Kelton Rhoads e Patricia L. Winter (2006), "Managing Social Norms for Persuasive Impact", *Social Influence* 1, nº 1, 3-15.

5. Valor Prático

Página

155 *Se você tivesse que pegar alguém*: entrevista com Ken Craig, 20 de fevereiro de 2012. Um vídeo do truque de Ken com o milho pode ser visto em http://jonahberger.com.

163 *Kahneman recebeu o Nobel*: para uma abordagem acessível da teoria prospectiva, ver o livro de Kahneman, *Thinking, Fast and Slow* (2011), de Farrar, Straus e Giroux. Para uma discussão mais acadêmica, ver Kahneman, Daniel e Amos Tversky (1979), "Prospect Theory: An Analysis of Decision Under Risk", *Econometrica* 47 (1979), 263-91. Muitos dos cenários discutidos nesse capítulo foram adaptados do trabalho de Richard Thaler sobre contabilidade mental. Ver Thaler, Richard (1980), "Toward a Positive Theory of Consumer Choice", *Journal of Economic Behavior and Organization* 1, 39-60; e Thaler, Richard (1985), "Mental Accounting and Consumer Choice", *Marketing Science* 4, 199-214.

166 *Para testar a possibilidade*: a pesquisa de Anderson e Simester pode ser encontrada em Anderson, Eric T. e Duncan I. Simester (2001), "Are Sale Signs Less Effective When More Products Have Them?", *Marketing Science* 20, nº 2, 121-42.

166 *Procurando um novo rádio relógio*: adaptado de Thaler, "Toward a Positive Theory of Consumer Choice", 39-60.

169 *Embora mencionar que algo está em liquidação*: várias pesquisas examinaram como o fato de se dizer que algo está em liquidação afeta a percepção de seu valor. Para exemplos, ver Blattberg, Robert, Richard A. Briesch e Edward J. Fox (1995), "How Promotions Work", *Marketing Science* 14, nº 3, 122-32; Lattin, James M. e Randolph E. Bucklin (1989), "Reference Effects of Price and Promotion on Brand Choice Behavior", *Journal of Marketing Research* 26, nº 3, 299-310; e Raju, Jagmohan S. (1992), "The Effect of Price Promotions on Variability in Product Category Sales", *Marketing Science* 11, nº 3, 207-20. Para uma investigação empírica sobre como as placas de venda afetam as compras, ver Anderson e Simester, "Are Sales Signs Less Effective", 121-42.

169 *Limites de quantidade para a compra aumenta as vendas*: Inman, Jeffrey J., Anil C. Peter e Priya Raghubir (1997), "Framing the Deal: The Role of Restrictions in Accentuating the Deal Value", *Journal of Consumer Research* 24 (junho), 68-79.

170 *Isso aumenta o Valor Prático*: para evidência de como as restrições de acesso a uma oferta afetam o valor percebido, ver Schindler, Robert M. (1998), "Consequences of Perceiving Oneself as Responsible for Obtaining a Discount: Evidence for Smart-Shopper Feelings", *Journal of Consumer Psychology* 7, nº 4, 371-92.

170 *O desconto parece maior*: para evidência de que o valor percebido é afetado por descontos absolutos e relativos, ver Chen, S.-F.S., K.B. Monroe e Yung-Chein Lou (1998), "The Effects of Framing Price Promotion Messages on Consumers' Perceptions and Purchase Intentions", *Journal of Retailing* 74, nº 3, 353-72.

176 *Você pode ter ouvido*: para uma discussão sobre a ligação entre vacinas e autismo e as consequências de uma informação falsa, ver McIntyre, Peter e Julie Leask (2008), "Improving Uptake of MMR Vaccine", *British Medical Journal* 336, nº 7.647, 729-30; Pepys, Mark B. (2007), "Science and Serendipity", *Clinical Medicine* 7, nº 6, 562-78; e Mnookin, Seth (2011), *The Panic Virus* (Nova Iorque: Simon and Schuster).

6. Histórias

Página

180 *A batalha ocorreu por volta de 1170 a.C.*: as estimativas sobre a época do Cavalo de Troia provêm desse artigo: Baikouzis, Constantino e Marcelo O. Magnasco (2008), "Is an Eclipse Described in *The Odyssey*?", *Proceedings of the National Academy of Sciences* 105, nº 26, 8.823-28.

186 *As histórias (...) nos ajudam a compreender o mundo*: Baumeister, Roy F., Liquing Zhang e Kathleen D. Vohs (2004), "Gossip as Cultural Learning", *Review of General Psychology* 8, 111-21.

187 *Ficamos muito mais propensos a ser persuadidos*: para pesquisa relacionada a como as histórias podem dificultar a contra-argumentação, ver Kardes, Frank R. (1993), "Consumer Infeference: Determinants, Consequences, and Implications for Advertising", em *Advertising Exposure, Memory and Choice*, ed. Andrew A. Mitchell (Hillsdale, N.J.: Erlbaum), 163-91.

188 *Perdeu todo aquele peso*: ver http://en.wikipedia.org/wiki/Jared_Fogle para uma visão geral da história de Jared.

190 *Então ele criou um pequeno filme*: a história de fundo provém de uma entrevista com Tim Piper em 18 de junho de 2012. O vídeo *Evolution* pode ser visto em http://jonahberger.com.

191 *2% das mulheres descrevem-se como bonitas*: a percepção desse fato provém de Etcoff, Nancy, Susie Orbach, Jennifer Scott e Heidi D'Agostino (2004), *The Real Truth About Beauty: A Global Report*; recuperado em 1º de junho de 2012, de http://www.scribd.com/doc/16653666/1/%E2%80%9C-THE-REAL-TRUTH-ABOUT-BEAUTY-A-GLOBAL-REPORT%E2%80%9D.

192 *Aumento de vendas na casa de dois dígitos*: ver http://www.marketingvox.com/dove_evolution_goes_viral_with_triple_the_traffic_of_super_bowl_spot-022944/, acessado em 15 de maio de 2012. Ver também http://en.wikipedia.org/wiki/Evolution_%28advertisement%29.

193 *O canadense Ron Bensimhon*: http://news.bbc.co.uk/2/hi/europe/3579148.stm.

194 *Parte de uma jogada publicitária*: para uma breve discussão sobre os acontecimentos, ver BBC News (2004), "Jail Sentence for Tutu Prankster", 19 de agosto.

196 *O anúncio on-line mais visualizado da história*: World Records Academy (2011), "Most Viewed On-line Ad: 'Evian Roller Babies' Sets World Record", acessado em maio de 2012 em http://www.worldrecordsacademy.org.

196 *As vendas caíram quase 25%*: O'Leary, Noreen (2010), "Does Viral Pay?", acessado em 21 de maio de 2011 em http://www.adweek.com.

197 *Em um comercial um pai está comprando alimentos*: para assistir ao vídeo Panda, vá a http://jonahberger.com.

198 *Sem falar de um liquidificador*: para mais discussões sobre viralidade valiosa, ver Akpinar, Ezgi e Jonah Berger (2012), "Valuable Virality", trabalho de Wharton.

199 *Os psicólogos Gordon Allport e Joseph Postman*: Allport, Gordon e Joseph Postman (1947), *Psychology of Rumour* (Nova Iorque: H. Holt and Company).

Epílogo

Página

203 *Thuan Le (...) chegou*: para a história de Thuan Le e dos salões de beleza vietnamitas, ver Tran, My-Thuan (2008), "A Mix of Luck, Polish", *Los Angeles Times*, 5 de maio. Ver também http://www.cnn.com/video/?/video/us/2011/07/05/pkg.wynter.vietnamese.nail.salon.cnn.

205 *Cambojanos americanos detêm*: Ardey, Julie (2008), "Cambodian Settlers Glaze a Donut Trail", *Daily Yonder*, 18 de fevereiro, acessado em http://www.dailyyonder.com/cambodian-settlers-glaze-donut-trail/2008/02/18/1062.

205 *Coreanos são donos*: Bleyer, Jennifer (2008), "Dry Cleaners Feel an Ill Wind from China", *New York Times*, 27 de abril.

205 *60% das lojas de bebida de Boston*: acessado em 10 de março de 2012 em http://www.pbs.org/wgbh/amex/murder/peopleevents/p_immigrants.html.

205 *Judeus produziam*: Klinger, Jerry, "The Russians Are Coming, The Russians Are Coming", *America Jewish History 1880-1924*, acessado em 15 de março de 2012 em http://www.jewishmag.com/85mag/usa8/usa8.htm.

206 *Duncan Watts faz uma bela comparação*: Watts, Duncan J. (2007), "Challenging the Influentials Hypothesis", *WOMMA Measuring Word of Mouth* 3, 207.

Este livro foi impresso nas oficinas gráficas da Editora Vozes Ltda.,
Rua Frei Luís, 100 – Petrópolis, RJ.